D0889014

CALIBAN

ROBERTO FERNANDEZ RETAMAR

CALIBAN

Apuntes sobre la cultura en nuestra América

EDITORIAL DIOGENES, S. A.
MEXICO

Primera edición, marzo de 1972
Segunda edición, junio de 1974

Av. Copilco 185
México 20, D. F.

Impreso y hecho en México
Printed and made in Mexico

Una pregunta

Un periodista europeo, de izquierda por más señas, me ha preguntado hace unos días: "¿existe una cultura latinoamericana?" Conversábamos, como es natural, sobre la reciente polémica en torno a Cuba, que acabó por enfrentar, por una parte, a algunos intelectuales burgueses europeos (o aspirantes a serlo), con visible nostalgia colonialista; y por otra, a la plana mayor de los escritores y artistas latinoamericanos que rechazan las formas abiertas o veladas de coloniaje cultural y político. La pregunta me pareció revelar una de las raíces de la polémica, y podría enunciarse también de esta otra manera: "¿existen ustedes?" Pues poner en duda nuestra cultura es poner en duda nuestra propia existencia, nuestra realidad humana misma, y por tanto estar dispuestos a tomar partido en favor de nuestra irremediable condición colonial, ya que se sospecha que no seríamos sino eco desfigurado de lo que sucede en otra parte. Esa otra parte son, por supuesto, las metrópolis, los centros colonizadores, cuyas "derechas" nos esquilmaron, y cuyas supuestas "izquierdas" han pretendido y pretenden orientarnos con piadosa solicitud. Ambas cosas, con el auxilio de intermediarios locales de variado pelaje.

* Estas páginas son sólo unos apuntes en que resumo opiniones anteriores y esbozo otras para la discusión sobre la cultura en nuestra América.

Si bien este hecho, de alguna manera, es padecido por todos los países que emergen del colonialismo —esos países nuestros a los que esforzados intelectuales metropolitanos han llamado torpe y sucesivamente *barbarie, pueblos de color, países subdesarrollados, tercer mundo*—, creo que el fenómeno alcanza una crudeza singular al tratarse de la que Martí llamó "nuestra América *mestiza*". Aunque puede fácilmente defenderse la indiscutible tesis de que todo hombre es un mestizo, e incluso toda cultura; aunque esto parece especialmente válido en el caso de las colonias, sin embargo, tanto en el aspecto étnico como en el cultural es evidente que los países capitalistas alcanzaron hace tiempo una relativa homogeneidad en este orden. Casi ante nuestros ojos se han realizado algunos reajustes: la población blanca de los Estados Unidos exterminó a la población aborigen y echó a un lado a la población negra, para darse por encima de divergencias esa homogeneidad, ofreciendo así el modelo coherente que sus discípulos los nazis pretendieron aplicar incluso a otros conglomerados europeos, pecado imperdonable que llevó a algunos burgueses a estigmatizar en Hitler lo que aplaudían como sana diversión dominical en *westerns* y películas de Tarzán. Esos filmes proponían al mundo —incluso a quienes estamos emparentados con esas comunidades agredidas y nos regocijábamos con la evocación de nuestro exterminio— el monstruoso criterio racial que acompaña a los Estados Unidos desde su arrancada hasta el genocidio en Indochina. Menos a la vista el proceso (y quizás, en algunos casos, menos cruel), los otros países capitalistas también se han dado una relativa homogeneidad racial y cultural, por encima de divergencias *internas*.

Tampoco puede establecerse acercamiento necesario entre mestizaje y mundo colonial. Este último es sumamente complejo,[1] a pesar de básicas afinidades estructurales, y ha incluido países de culturas definidas y milenarias, algunos de los cuales padecieron (o padecen) la ocupación directa —la India, Vietnam— y otros la indirecta —China—; países de ricas culturas menos homogéneos políticamente, y que han sufrido formas muy diversas de colonialismo —el mundo árabe—; países, en fin, cuyas osamentas fueron salvajemente desarticuladas por la espantosa acción de los europeos —pueblos del Africa negra—, a pesar de lo cual conservan también cierta homogeneidad étnica y cultural: hecho este último, por cierto, que los colonialistas trataron de negar criminal y vanamente. En estos pueblos, en grado mayor o menor, hay mestizaje, por supuesto, pero es siempre accidental, siempre al margen de su línea central de desarrollo.

Pero existe en el mundo colonial, *en el planeta*, un caso especial: una vasta zona para la cual el mestizaje no es el accidente, sino la esencia, la línea central: nosotros, "nuestra América *mestiza*". Martí, que tan admirablemente conocía el idioma, empleó este adjetivo preciso como la señal distintiva de nuestra cultura, una cultura de descendientes de aborígenes, de africanos, de europeos —étnica y culturalmente hablando—. En su "Carta de Jamaica" (1815), el Libertador Simón Bolívar había proclamado: "Nosotros somos un pequeño género humano: poseemos un mundo aparte, cercado por dilatados mares, nuevo en casi todas las artes y ciencias"; y en su mensaje al Congreso de Angostura (1819), añadió:

"Tengamos en cuenta que nuestro pueblo no es el europeo, ni el americano del norte, que más bien es un compuesto de Africa y de América que una emanación de Europa; pues que hasta la España misma deja de ser europea por su sangre africana, por sus instituciones y por su carácter. Es imposible asignar con propiedad a qué familia humana pertenecemos. La mayor parte del indígena se ha aniquilado; el europeo se ha mezclado con el americano y con el africano, y éste se ha mezclado con el indio y con el europeo. Nacidos todos del seno de una misma madre, nuestros padres, diferentes en origen y en sangre, son extranjeros, y todos difieren visiblemente en la epidermis; esta desemejanza, trae un reato de la mayor trascendencia."

Ya en este siglo, en un libro confuso como suyo, pero lleno de intuiciones (*La raza cósmica,* 1925), el mexicano José Vasconcelos señaló que en la América Latina se estaba forjando una nueva raza, "hecha con el tesoro de todas las anteriores, la raza final, la raza cósmica".[2]

Este hecho único está en la raíz de incontables malentendidos. A un euronorteamericano podrán entusiasmarlo, dejarlo indiferente o deprimirlo las culturas china o vietnamita o coreana o árabe o africanas, pero no se le ocurriría confundir a un chino con un noruego, ni a un bantú con un italiano; ni se le ocurriría preguntarles si existen. Y en cambio, a veces a algunos latinoamericanos se los toma como aprendices, como borradores o como desvaídas copias de europeos, incluyendo entre estos a los blancos de lo que Martí llamó "la América europea"; así como a nuestra cultura toda se la toma como un aprendizaje, un borrador o una copia de la cultura burguesa europea ("una emanación de Europa", como decía Bolívar): este último error es más frecuente que el primero, ya que confundir a un cubano con un inglés o a un guatemalteco con un alemán suele estar estorbado por ciertas tenacidades étnicas; parece que los rioplatenses andan en esto menos diferenciados étnica aunque no culturalmente. Y es que en la raíz misma está la confusión, porque descendientes de numerosas comunidades indígenas, africanas, europeas, tenemos, para entendernos, unas pocas lenguas: las de los colonizadores. Mientras otros coloniales o excoloniales, en medio de metropolitanos, se ponen a hablar entre sí en su lengua, nosotros, los latinoamericanos, seguimos con nuestros idiomas de colonizadores.

Son las *linguas francas* capaces de ir más allá de las fronteras que no logran atravesar las lenguas aborígenes ni los *créoles*. Ahora mismo, que estamos discutiendo, que estoy discutiendo con esos colonizadores, ¿de qué otra manera puedo hacerlo sino en una de sus lenguas, que es ya también *nuestra* lengua, y con tantos de sus instrumentos conceptuales, que también son ya *nuestros* instrumentos conceptuales? No es otro el grito extraordinario que leímos en una obra del que acaso sea el más extraordinario escritor de ficción que haya existido. En *La tempestad*, la obra última de William Shakespeare, el deforme Calibán, a quien Próspero robara su isla, esclavizara y enseñara el lenguaje, lo increpa: "Me enseñaste el lenguaje, y de ello obtengo / El saber maldecir. ¡La roja plaga / Caiga en ti, por habérmelo enseñado!" (*You tought me language, and my profit on't / Is, I know how to curse. The red plague rid you / For learning me your language! La tempestad*, acto 1, escena 2.)

Para la historia de Calibán

Calibán es anagrama forjado por Shakespeare a partir de "caníbal" —expresión que, en el sentido de antropófago, ya había empleado en otras obras como *La tercera parte del rey Enrique VI* y *Otelo*—, y este término, a su vez, proviene de "caribe". Los caribes, antes de la llegada de los europeos, a quienes hicieron una resistencia heroica, eran los más valientes, los más batalladores habitantes de las mismas tierras que ahora ocupamos nosotros. Su nombre es perpetuado por el Mar Caribe (al que algunos llaman simpáticamente el Mediterráneo americano; algo así como si nosotros llamáramos al Mediterráneo el Caribe europeo). Pero ese nombre, en sí mismo —*caribe*—, y en su deformación *caníbal*, ha quedado perpetuado, a los ojos de los europeos, sobre todo de manera infamante. Es este término, este sentido el que recoge y elabora Shakespeare en su complejo símbolo. Por la importancia excepcional que tiene para nosotros, vale la pena trazar sumariamente su historia.

En el *Diario de navegación* de Cristóbal Colón aparecen las primeras menciones europeas de los hombres que darían material para aquel símbolo. El domingo 4 de noviembre de 1492, a menos de un mes de haber llegado Colón al continente que sería llamado América, aparece esta anotación: "Entendió también que lejos de allí había hombres de un ojo, y otros con hocicos de perros, que comían los hombres";[3] el 23 de noviembre, esta otra: "la cual decían que era muy grande [la isla de Haití], y que había en ella gente que tenía un ojo en la frente, y otros que se llamaban caníbales, a quienes mostraban tener gran miedo...". El 11 de diciembre se explica "que *caniba* no es otra cosa sino la gente del gran Can", lo que da razón de la deformación que sufre el nombre *caribe* —también usado por Colón: en la propia carta "fecha en la carabela, sobre la Isla de Canaria", el 15 de febrero de 1493, en que Colón anuncia al mundo su "descubrimiento", escribe: "así que monstruos no he hallado, ni noticia, salvo de una isla [*de Quarives*], la segunda a la entrada de las Indias, que es poblada de una gente que tienen en todas las islas por muy feroces, los cuales comen carne humana".[4]

Esta imagen del *caribe/caníbal* contrasta con la otra imagen de hombre americano que Colón ofrece en sus páginas: la del *arauaco* de las grandes Antillas —nuestro *taíno* en primer lugar—, a quien presenta como pacífico, manso, incluso temeroso y cobarde. Ambas visiones de aborígenes americanos van a difundirse vertiginosamente por Europa, y a conocer singulares desarrollos: el *taíno* se transformará en el habitante paradisíaco de un mundo utópico: ya en 1516, Tomás Moro publica su *Utopía*, cuyas impresionantes similitudes con la isla de Cuba ha destacado, casi hasta el delirio, Ezequiel Martínez Estrada.[5] El *caribe*, por su parte, dará el *caníbal*, el antropófago, el hombre bestial situado irremediablemente al margen de la civilización, y a quien es menester combatir a sangre y fuego. Ambas visiones están menos alejadas de lo que pudiera parecer a primera vista, constituyendo simplemente opciones del arsenal ideológico de la enérgica burguesía naciente. Francisco de Quevedo traducía "Utopía" como "No hay tal lugar".

"No hay tal hombre", puede añadirse, a propósito de ambas visiones. La de la criatura edénica es, para decirlo en un lenguaje más moderno, una hipótesis de trabajo de la izquierda de la burguesía, que de ese modo ofrece el modelo ideal de una sociedad perfecta que no conoce las trabas del mundo feudal contra el cual combate en la realidad esa burguesía. En general, la visión utópica echa sobre estas tierras los proyectos de reformas políticas no realizados en los países de origen, y en este sentido no podría decirse que es una línea extinguida: por el contrario, encuentra peculiares continuadores —aparte de los continuadores radicales que serán los revolucionarios consecuentes— en los numerosos consejeros que proponen incansablemente a los países que emergen del colonialismo mágicas fórmulas metropolitanas para resolver los graves problemas que el colonialismo nos ha dejado, y que, por supuesto, ellos no han resuelto en sus propios países. De más está decir la irritación que produce en estos sostenedores de "no hay tal lugar" la insolencia de que el lugar exista, y, como es natural, con las virtudes y defectos no de un proyecto, sino de una genuina realidad.

En cuanto a la visión del *caníbal*, ella se corresponde —también en un lenguaje más de nuestros días— con la derecha de aquella misma burguesía. Pertenece al arsenal ideológico de los políticos de acción, los que realizan el trabajo sucio del que van a disfrutar igualmente, por supuesto, los encantadores soñadores de utopías. Que los caribes hayan sido tal como los pintó Colón (y tras él, una inacabable caterva de secuaces), es tan probable como que hubieran existido los hombres de un ojo y otros con hocico de perro, o los hombres con cola, o las amazonas, que también menciona en sus páginas, donde la mitología grecolatina, el bestiario medioeval y la novela de caballerías hacen lo suyo. Se trata de la característica versión degradada que ofrece el colonizador del hombre al que coloniza. Que nosotros mismos hayamos creído durante un tiempo en esa versión sólo prueba hasta qué punto estamos inficionados con la ideología del enemigo. Es característico que el término *caníbal* lo hayamos aplicado, por antonomasia, no al extinguido aborigen de nuestras islas, sino al negro de Africa que aparecía en aquellas avergonzantes películas de Tarzán. Y es que el colonizador es quien nos unifica, quien hace ver nuestras similitudes profundas más allá de accesorias diferencias.

La versión del colonizador nos explica que al caribe, debido a su bestialidad sin remedio, no quedó otra alternativa que exterminarlo. Lo que no nos explica es por qué, entonces, antes incluso que el caribe, fue igualmente exterminado el pacífico y dulce arauaco. Simplemente, en un caso como en otro, se cometió contra ellos uno de los mayores etnocidios que recuerda la historia. (Innecesario decir que esta línea está aún más viva que la anterior.) En relación con esto, será siempre necesario destacar el caso de aquellos hombres que, al margen tanto del utopismo —que nada tenía que ver con la América concreta— como de la desvergonzada ideología del pillaje, impugnaron desde su seno la conducta de los colonialistas, y defendieron apasionada, lúcida, valientemente, a los aborígenes de carne y hueso: a la cabeza de esos hombres, por supuesto, la figura magnífica del padre Bartolomé de Las Casas, a quien Bolívar llamó "el apóstol de la América", y Martí elogió sin reservas. Esos hombres, por desgracia, no fueron sino excepciones.

Uno de los más difundidos trabajos europeos en la línea utópica es el ensayo de Montaigne "De los caníbales", aparecido en 1580. Allí está la presentación de aquellas criaturas que "guardan vigorosas y vivas las propiedades y virtudes naturales, que son las verdaderas y útiles".[6] En 1603 aparece publicada la traducción al inglés de los *Ensayos* de Montaigne, realizada por Giovanni Floro. No sólo Floro era amigo personal de Shakespeare, sino que se conserva el ejemplar de esta traducción que Shakespeare poseyó y anotó. Este dato no tendría mayor importancia si no fuera porque prueba sin lugar a dudas que el libro fue una de las fuentes directas de la última gran obra de Shakespeare, *La tempestad* (1612). Incluso uno de los personajes de la comedia, Gonzalo, que encarna al humanista renacentista, glosa de cerca, en un momento, líneas enteras del Montaigne de Floro, provenientes precisamente del ensayo "De los caníbales". Y es este hecho lo que hace más singular aún la forma como Shakespeare presenta a su personaje *Calibán/caníbal*. Porque si en Montaigne —indudable fuente literaria, en este caso, de Shakespeare— "nada hay de bárbaro ni de salvaje en esas naciones [...] lo que ocurre es que cada cual llama *barbarie* a lo que es ajeno a sus costumbres",[7] en Shakespeare, en cambio, *Calibán/caníbal* es un esclavo salvaje y deforme para quien son pocas las injurias. Sucede, sencillamente, que Shakespeare, implacable realista, asume aquí al diseñar a Calibán *la otra opción* del naciente mundo burgués. En cuanto a la visión utópica, ella existe en la obra, sí, pero desvinculada de Calibán: como se dijo antes, es expresada por el armonioso humanista Gonzalo. Shakespeare verifica, pues, que ambas maneras de considerar lo americano, lejos de ser opuestas, eran perfectamente conciliables. Al hombre concreto, presentarlo como un animal, robarle la tierra, esclavizarlo para vivir de su trabajo y, llegado el caso, exterminarlo: esto último, por supuesto, siempre que se contara con quien realizara en su lugar las duras faenas. En un pasaje revelador, Próspero advierte a su hija Miranda que no podrían pasarse sin Calibán: "Nos hace el fuego, / Sale a buscarnos leña, y nos presta / Servicios útiles." *(We cannot miss him: he does make our fire, / Fetch in our wood, and serves in offices / That profit us.* Acto 1, escena

2.) En cuanto a la visión utópica, ella puede —y debe— prescindir de los hombres de carne y hueso. Después de todo, *no hay tal lugar.*

Que *La tempestad* alude a América, que su isla es la mitificación de una de nuestras islas, no ofrece a estas alturas duda alguna. Astrana Marín, quien menciona el "ambiente claramente indiano [americano] de la isla", recuerda algunos de los viajes reales, por este continente, que inspiraron a Shakespeare, e incluso le proporcionaron, con ligeras variantes, los nombres de no pocos de sus personajes: Miranda, Fernando, Sebastián, Alonso, Gonzalo, Setebos.[8] Más importante que ello es saber que Calibán es nuestro caribe.

No nos interesa seguir todas las lecturas posibles que desde su aparición se hayan hecho de esta obra notable.[9] Nos bastará con señalar algunas interpretaciones. La primera de ellas proviene de Ernesto Renan, quien en 1878 publica su drama *Calibán, continuación de La tempestad.*[10] En esta obra, Calibán es la encarnación del pueblo, presentado a la peor luz, sólo que esta vez su conspiración contra Próspero tiene éxito, y llega al poder, donde seguramente la ineptitud y la corrupción no le permitirán permanecer. Próspero espera en la sombra su revancha. Ariel desaparece. Esta lectura debe menos a Shakespeare que a la Comuna de París, la cual ha tenido lugar sólo siete años antes. Naturalmente, Renan estuvo entre los escritores de la burguesía francesa que tomaron partido feroz contra el prodigioso "asalto al cielo".[11] A partir de esa hazaña, su antidemocratismo se encrespa aún más: "en sus *Diálogos filosóficos*", nos dice Lidsky, "piensa que la solución estaría en la constitución de una *élite* de seres inteligentes, que gobiernen y posean solos los secretos de la ciencia".[12] Característicamente, el elitismo aristocratizante y prefascista de Renan, su odio al pueblo de su país, está unido a un odio mayor aún a los habitantes de las colonias. Es aleccionador oírlo expresarse en este sentido:

"Aspiramos [dice], no a la igualdad sino a la dominación. El país de raza extranjera deberá ser de nuevo un país de siervos, de jornaleros agrícolas o de trabajadores industriales. No se trata de suprimir las desigualdades entre los hombres, sino de ampliarlas y hacer de ellas una ley."[13]

Y en otra ocasión:

"La regeneración de las razas inferiores o bastardas por las razas superiores está en el orden providencial de la humanidad. El hombre de pueblo es casi siempre, entre nosotros, un noble desclasado, su pesada mano está mucho mejor hecha para manejar la espada que el útil servil. Antes que trabajar, escoge batirse, es decir, que regresa a su estado primero. *Regere imperio populos,* he aquí nuestra vocación. Arrójese esta devorante actividad sobre países que, como China, solicitan la conquista extranjera. [...] La naturaleza ha hecho una raza de obreros, es la raza china, de una destreza de mano maravillosa, sin casi ningún sentimiento de honor; gobiérnesela con justicia, extrayendo de ella, por el beneficio de un gobierno así, abundantes bienes, y ella estará satisfecha; una raza de trabajadores de la tierra es el negro [...]; una raza de amos y de soldados, es la raza europea [...]. *Que cada uno haga aquello para lo que está preparado, y todo irá bien.*" [14]

Innecesario glosar estas líneas, que, como dice con razón Césaire, no pertenecen a Hitler, sino al humanista francés Ernesto Renan.

Es sorprendente el primer destino del mito de Calibán en nuestras propias tierras americanas. Veinte años después de haber publicado Renan su *Calibán,* es decir, en 1898, los Estados Unidos intervienen en la guerra de Cuba contra España por su independencia, y someten a Cuba a su tutelaje, convirtiéndola, a partir de 1902 (y hasta 1959), en su primera *neocolonia,* mientras Puerto Rico y las Filipinas pasaban a ser colonias suyas de tipo tradicional. El hecho —que había sido previsto por Martí muchos años antes— conmueve a la *intelligentsia* hispanoamericana. En otra parte he recordado que "el noventiocho" no es sólo una fecha española, que da nombre a un complejo equipo de escritores y pensadores de aquel país, sino también, y acaso sobre todo, una fecha hispanoamericana, la cual debía servir para designar a un conjunto no menos complejo de escritores y pensadores de este lado del Atlántico, a quienes se suele llamar con el vago nombre de "modernistas".[15] Es "el noventiocho" —la visible presencia del imperialismo norteamericano en la América Latina— lo que, habiendo sido anunciado por Martí, da razón de la obra ulterior de un Darío o un Rodó.

Un temprano ejemplo de cómo recibirían el hecho los escritores latinoamericanos del momento lo tenemos en un discurso pronunciado por Paul Groussac en Buenos Aires, el 2 de mayo de 1898:

"desde la Secesión y la brutal invasión del Oeste [dice], se ha desprendido libremente el espíritu *yankee* del cuerpo informe y «calibanesco», y el viejo mundo ha contemplado con inquietud y terror a la novísima civilización que pretende suplantar a la nuestra declarada caduca." [16]

El escritor francoargentino Groussac siente que "nuestra" civilización (entendiendo por tal, visiblemente, a la del "viejo mundo", de la que nosotros los latinoamericanos vendríamos curiosamente a formar parte) está amenazada por el yanqui "calibanesco". Es bastante poco probable que por esa época escritores argelinos y vietnamitas, pateados por el colonialismo francés, estuvieran dispuestos a suscribir la primera parte de tal criterio. Es también francamente extraño ver que el símbolo de Calibán —donde Renan supo descubrir con acierto al pueblo, si bien para injuriarlo— sea aplicado a los Estados Unidos. Y, sin embargo, a pesar de esos desenfoques, característicos por otra parte de la peculiar situación de la

América Latina, la reacción de Groussac implicaba un claro rechazo del peligro yanqui por los escritores latinoamericanos. No era, por otra parte, la primera vez que en nuestro continente se expresaba tal rechazo. Aparte de casos hispanoamericanos como el de Bolívar y el de Martí, entre otros, la literatura brasileña conocía el ejemplo de Joaquín de Sousa Andrade, o Sousândrade, en cuyo extraño poema *O Guesa Errante* el canto X está consagrado a "O inferno de Wall Street", "una *Walpurgisnacht* de bolsistas, politicastros y negociantes corruptos";[17] y de José Veríssimo, quien en un tratado sobre educación nacional, de 1890, al impugnar a los Estados Unidos, escribió: "los admiro pero no los estimo".

Ignoramos si el uruguayo José Enrique Rodó —cuya famosa frase sobre los Estados Unidos: "los admiro, pero no los amo", coincide literalmente con la observación de Veríssimo— conocía la obra del pensador brasileño; pero es seguro que sí conociera el discurso de Groussac, reproducido en su parte esencial en *La Razón,* de Montevideo, el 6 de mayo de 1898. Desarrollando la idea allí esbozada, y enriqueciéndola con otras, Rodó publica en 1900, a sus veintinueve años, una de las obras más famosas de la literatura hispanoamericana: *Ariel.* Implícitamente, la civilización norteamericana es presentada allí como Calibán (apenas nombrado en la obra), mientras que Ariel vendría a encarnar —o debería encarnar— lo mejor de lo que Rodo no vacila en llamar más de una vez "nuestra civilización" (p. 223 y 226), la cual, en sus palabras como en las de Groussac, no se identifica sólo con "nuestra América Latina" (p. 239), sino con la vieja Romania, cuando no con el viejo mundo todo. La identificación Calibán-Estados Unidos que propuso Groussac y divulgó Rodó estuvo seguramente desacertada. Abordando el desacierto por un costado, comentó José Vasconcelos: "si los yanquis fueran no más Calibán, no representarían mayor peligro".[18] Pero esto, desde luego, tiene escasa importancia al lado del hecho relevante de haber señalado claramente dicho peligro. Como observó con acierto Benedetti, "quizá Rodó se haya equivocado cuando tuvo que decir el nombre del peligro, pero no se equivocó en su reconocimiento de dónde estaba el mismo".[19]

Algún tiempo después —y desconociendo seguramente la obra del colonial Rodó, quien por supuesto sabía de memoria la de Renan—, la tesis del *Calibán* de éste es retomada por el escritor francés Jean Guéhenno, quien publica en 1928, en París, su *Calibán habla.* Esta vez, sin embargo, la identificación renaniana Calibán/pueblo está acompañada de una apreciación positiva de Calibán. Hay que agradecer a este libro de Guéhenno —y es casi lo único que hay que agradecerle— el haber ofrecido por primera vez una versión simpática del personaje.[20] Pero el tema hubiera requerido la mano o la rabia de un Paul Nizan para lograrse efectivamente.[21]

Mucho más agudas son las observaciones del argentino Aníbal Ponce en su obra de 1935 *Humanismo burgués y humanismo proletario.* El libro —que un estudioso del pensamiento del Che conjetura que debió haber ejercido influencia sobre él [22]— consagra su tercer capítulo a "Ariel o la agonía de una obstinada ilusión". Al comentar *La tempestad,* dice Ponce: "en aquellos cuatro seres ya está toda la época: Próspero es el tirano ilustrado que el Renacimiento ama; Miranda, su linaje; Calibán, las masas sufridas [Ponce citará luego a Renan, pero no a Guéhenno]; Ariel, el genio del aire, sin ataduras con la vida".[23] Ponce hace ver el carácter equívoco con que es presentado Calibán, carácter que revela "alguna enorme injusticia de parte de un dueño", y en Ariel ve al intelectual, atado de modo "menos pesado y rudo que el de Calibán, pero al servicio también" de Próspero. El análisis que realiza de la concepción del intelectual ("mezcla de esclavo y mercenario") acuñada por el humanismo renacentista, concepción que "enseñó como nadie a desinteresarse de la acción y a aceptar el orden constituido", y es por ello hasta hoy, en los países burgueses, "el ideal educativo de las clases gobernantes", constituye uno de los más agudos ensayos que en nuestra América se hayan escrito sobre el tema.

Pero ese examen, aunque hecho por un latinoamericano, se realiza todavía tomando en consideración exclusivamente al mundo europeo. Para una nueva lectura de *La tempestad* —para una nueva consideración del problema—, sería menester esperar a la emergencia de los países coloniales que tiene lugar a partir de la Segunda guerra mundial, esa brusca presencia que lleva a los atareados técnicos de las Naciones Unidas a forjar, entre 1944 y 1945, el término *zona económicamente subdesarrollada* para vestir con un ropaje verbal simpático (y profundamente confuso) lo que hasta entonces se había llamado *zonas coloniales* o *zonas atrasadas.*[24]

En acuerdo con esa emergencia aparece en París, en 1950, el libro de O. Mannoni *Sicología de la colonización.* Significativamente, la edición en inglés de este libro (Nueva York, 1956) se llamará *Próspero y Calibán: la sicología de la colonización.* Para abordar su asunto, Mannoni no ha encontrado nada mejor que forjar el que llama "complejo de Próspero", "definido como el conjunto de disposiciones neuróticas inconscientes que diseñan a la vez «la figura del paternalismo colonial» y «el retrato del racista cuya hija ha sido objeto de una tentativa de violación (imaginaria) por parte de un ser inferior»".[25] En este libro, probablemente por primera vez, Calibán queda identificado con el colonial, pero la peregrina teoría de que éste siente el "complejo de Próspero", el cual lo lleva neuróticamente a requerir, incluso a presentir, y por supuesto a acatar la presencia de Próspero/colonizador, es rotundamente rechazada por Frantz Fanon en el cuarto capítulo ("Sobre el pretendido complejo de dependencia del colonizado") de su libro de 1952 *Piel negra, máscaras blancas.*

Aunque sea (al parecer) el primer escritor de nuestro mundo en asumir nuestra identificación con Calibán, el escritor de Barbados George Lamming no logra romper el círculo que trazara Mannoni.

"Próspero [dice Lamming] ha dado a Calibán el lenguaje; y con él una historia no manifiesta de consecuencias, una historia de futuras intenciones. Este don del lenguaje no quería decir el inglés en particular, sino habla y concepto como un medio, un método, una necesaria avenida hacia áreas de sí mismo que no podían ser alcanzadas de otra manera. Es este medio, hazaña entera de Próspero, lo que hace a Calibán consciente de posibilidades. Por tanto, todo el futuro de Calibán —pues futuro es el nombre mismo de las posibilidades— debe derivar del experimento de Próspero, lo que es también su riesgo. Dado que no hay punto de partida extraordinario que explote todas las premisas de Próspero, Calibán y su futuro pertenecen ahora a Próspero [. . .] Próspero vive con la absoluta certeza de que el Lenguaje, que es su don a Calibán, es la prisión misma en la cual los logros de Calibán serán realizados y restringidos." [26]

En la década del sesenta, la nueva lectura de *La tempestad* acabará por imponerse. En *El mundo vivo de Shakespeare* (1964), el inglés John Wain nos dirá que Calibán "produce el patetismo de todos los pueblos explotados, lo cual queda expresado punzantemente al comienzo de una época de colonización europea que duraría trescientos años. Hasta el más ínfimo salvaje desea que lo dejen en paz antes de ser «educado» y obligado a trabajar para otro, y hay una innegable justicia en esta queja de Calibán: «¡Porque yo soy el único súbdito que tenéis, que fui rey propio!» Próspero responde con la inevitable contestación del colono: Calibán ha adquirido conocimientos e instrucción (aunque recordamos que él ya sabía construir represas para coger pescado y también extraer chufas del suelo como si se tratara del campo inglés). Antes de ser utilizado por Próspero, Calibán no sabía hablar: «Cuando tú, hecho un salvaje, ignorando tu propia significación, balbucías como un bruto, doté tu pensamiento de palabras que lo dieran a conocer.» Sin embargo, esta bondad es recibida con ingratitud: Calibán, a quien se permite vivir en la gruta de Próspero, ha intentado violar a Miranda; cuando se le recuerda esto con mucha severidad, dice impenitentemente, con una especie de babosa risotada: «¡oh, jo!... ¡Lástima no haberlo realizado! Tú me lo impediste; de lo contrario, poblara la isla de Calibanes.» Nuestra época [concluye Wain], que es muy dada a usar la horrible palabra *miscegenation* (mezcla de razas), no tendrá dificultad en comprender este pasaje." [27]

Y al ir a concluir esa década de los sesenta, en 1969, y de manera harto significativa, Calibán será asumido con orgullo como nuestro símbolo por tres escritores antillanos, cada uno de los cuales se expresa en una de las grandes lenguas coloniales del Caribe. Con independencia uno de otro, ese año publica el martiniqueño Aimé Césaire su obra de teatro, en francés, *Una tempestad. Adaptación de "La tempestad" de Shakespeare para un teatro negro;* el barbadiense Edward Brathwaite, su libro de poemas en inglés *Islas*, entre los cuales hay uno dedicado a "Calibán"; y el autor de estas líneas, su ensayo en español "Cuba hasta Fidel", en que se habla de nuestra identificación con Calibán.[28] En la obra de Césaire, los personajes son los mismos que los de Shakespeare, pero Ariel es un esclavo mulato, mientras Calibán es un esclavo negro; además, interviene Eshú, "dios-diablo negro". No deja de ser curiosa la observación de Próspero cuando Ariel regresa lleno de escrúpulos, después de haber desencadenado, siguiendo las órdenes de aquél, pero contra su propia conciencia, la tempestad con que se inicia la obra: "¡Vamos!", le dice Próspero. "¡Tu crisis! ¡Siempre es lo mismo con los intelectuales!" El poema de Brathwaite llamado "Calibán" está dedicado, significativamente, a Cuba: "En La Habana, esa mañana [...]/", escribe Brathwaite, "Era el dos de diciembre de mil novecientos cincuentiséis./ Era el primero de agosto de mil ochocientos treintiocho./ Era el doce de octubre de mil cuatrocientos noventidós.// ¿Cuántos estampidos, cuántas revoluciones?"[29]

Nuestro símbolo

Nuestro símbolo no es pues Ariel, como pensó Rodó, sino Calibán. Esto es algo que vemos con particular nitidez los mestizos que habitamos estas mismas islas donde vivió Calibán: Próspero invadió las islas, mató a nuestros ancestros, esclavizó a Calibán y le enseñó su idioma para poder entenderse con él: ¿qué otra cosa puede hacer Calibán sino utilizar ese mismo idioma —hoy no tiene otro— para maldecirlo, para desear que caiga sobre él la "roja plaga"? No conozco otra metáfora más acertada de nuestra situación cultural, de nuestra realidad. De Túpac Amaru, *Tiradentes,* Toussaint-Louverture, Simón Bolívar, el cura Hidalgo, José Artigas, Bernardo O'Higgins, Benito Juárez, Antonio Maceo y José Martí, a Emiliano Zapata, Augusto César Sandino, Julio Antonio Mella, Pedro Albizu Campos, Lázaro Cárdenas, Fidel Castro y Ernesto Che Guevara; del Inca Garcilaso de la Vega, el *Aleijadinho,* la música popular antillana, José Hernández, Eugenio María de Hostos, Manuel González Prada, Rubén Darío (sí: a pesar de todo), Baldomero Lillo y Horacio Quiroga, al muralismo mexicano, Héctor Villalobos, César Vallejo, José Carlos Mariátegui, Ezequiel Martínez Estrada, Carlos Gardel, Pablo Neruda, Alejo Carpentier, Nicolás Guillén, Aimé Césaire, José María Arguedas, Violeta Parra y Frantz Fanon, ¿qué es nuestra historia, qué es nuestra cultura, sino la historia, sino la cultura de Calibán?

En cuanto a Rodó, si es cierto que equivocó los símbolos, como se ha dicho, no es menos cierto que supo señalar con claridad al enemigo mayor que nuestra cultura tenía en su tiempo —y en el nuestro—, y ello es enormemente más importante. Las limitaciones de Rodó, que no es éste el momento de elucidar, son responsables de lo que no vio o vio desenfocadamente.[30] Pero lo que en su caso es digno de señalar es lo que sí vio, y que sigue conservando cierta dosis de vigencia y aun de virulencia.

"Pese a sus carencias, omisiones e ingenuidades [ha dicho también Benedetti], la visión de Rodó sobre el fenómeno yanqui, rigurosamente ubicada en su contexto histórico, fue en su momento la primera plataforma de lanzamiento para otros planteos posteriores, menos ingenuos, mejor informados, más previsores [...] la casi profética sustancia del arielismo rodoniano conserva, todavía hoy, cierta parte de su vigencia."[31]

Estas observaciones están apoyadas por realidades incontrovertibles. Que la visión de Rodó sirvió para planteos posteriores menos ingenuos y más radicales, lo sabemos bien los cubanos con sólo remitirnos a la obra de nuestro Julio Antonio Mella, en cuya formación fue decisiva la influencia de Rodó. En un vehemente trabajo de sus veintiún años, "Intelectuales y tartufos" (1924), en que arremete con gran violencia contra falsos valores intelectuales de su tiempo —a los que opondrá los nombres de Unamuno, José Vasconcelos, Ingenieros, Varona—, Mella escribe: "Intelectual es el trabajador del pensamiento. ¡El trabajador!, o sea, el único hombre que a juicio de Rodó merece la vida, [...] aquél que empuña la pluma para combatir las iniquidades, como otros empuñan el arado para fecundar la tierra, o la espada para libertar a los pueblos, o los puñales para ajusticiar a los tiranos."[32]

Mella volverá a citar con devoción a Rodó ese año[33] y al siguiente contribuirá a fundar en La Habana el Instituto Politécnico Ariel.[34] Es oportuno recordar que ese mismo año 1925 Mella se encuentra también entre los fundadores del primer Partido comunista de Cuba. Sin duda el *Ariel* de Rodó sirvió a este primer marxista-leninista orgánico de Cuba —y uno de los primeros del continente—, como "plataforma de lanzamiento" para su meteórica carrera revolucionaria.

Como ejemplos también de la relativa vigencia que aún en nuestros días conserva el planteo antiyanqui de Rodó, están los intentos enemigos de desarmar ese planteo. Es singular el caso de Emir Rodríguez Monegal, para quien *Ariel*, además de "materiales de meditación filosófica o sociológica, *también* contiene páginas de carácter polémico sobre problemas políticos *de la hora.* Y ha sido precisamente esta condición *secundaria* pero innegable la que determinó su popularidad inmediata y su difusión". La esencial postura de Rodó contra la penetración norteamericana, aparecería así como un *añadido,* como un hecho *secundario* en la obra. Se sabe, sin embargo, que Rodó la concibió a raíz de la intervención norteamericana en Cuba en 1898, *como una respuesta al hecho.* Rodríguez Monegal comenta:

"La obra así proyectada fue *Ariel.* En el discurso definitivo *sólo* se encuentran *dos alusiones directas* al hecho histórico que fue su primer motor [...] ambas alusiones permiten advertir cómo ha *trascendido* Rodó la circunstancia histórica inicial para plantarse de lleno en el problema esencial: la proclamada decadencia de la raza latina." [35]

El hecho de que un servidor del imperialismo como Rodríguez Monegal, aquejado de la "nordomanía" que en 1900 denunció Rodó, trate de emascular tan burdamente su obra, sólo prueba que, en efecto, ella conserva cierta virulencia en su planteo, aunque hoy lo haríamos a partir de otras perspectivas y con otro instrumental. Un análisis de *Ariel* —que no es ésta en absoluto la ocasión de hacer— nos llevaría también a destacar cómo, a pesar de su formación, a pesar de su antijacobismo, Rodó combate allí el antidemocratismo de Renan y Nietzsche (en quien encuentra "un abominable, un reaccionario espíritu", p. 224), exalta la democracia, los valores morales y la emulación. Pero indudablemente, el resto de la obra ha perdido la actualidad que, en cierta forma, conserva su enfrentamiento gallardo a los Estados Unidos y la defensa de nuestros valores.

Bien vistas las cosas, es casi seguro que estas líneas de ahora no llevarían el nombre que tienen de no ser por el libro de Rodó, y prefiero considerarlas también como un homenaje al gran uruguayo, cuyo centenario se celebra este año. El que el homenaje lo contradiga en no pocos puntos no es raro. Ya había observado Medardo Vitier que "si se produjera una vuelta a Rodó, no creo que sería para adoptar la solución que dio sobre los intereses de la vida del espíritu, sino para reconsiderar el problema." [36]

Al proponer a Calibán como nuestro símbolo, me doy cuenta de que tampoco es enteramente nuestro, también es una elaboración extraña, aunque esta vez lo sea a partir de nuestras concretas realidades. Pero, ¿cómo eludir enteramente esta extrañeza? La palabra más venerada en Cuba —*mambí*— nos fue impuesta peyorativamente por nuestros enemigos, cuando la guerra de independencia, y todavía no hemos descifrado del todo su sentido. Parece que tiene una evidente raíz africana, e implicaba, en boca de los colonialistas españoles, la idea de que todos los independentistas equivalían a los negros esclavos —emancipados por la propia guerra de independencia—, quienes, por supuesto, constituían el grueso del ejército libertador. Los independentistas, blancos y negros, hicieron suyo con honor lo que el colonialismo quiso que fuera una injuria. Es la dialéctica de Calibán. Nos llaman *mambí*, nos llaman *negro* para ofendernos; pero nosotros reclamamos como un timbre de gloria el honor de considerarnos descendientes de *mambí*, descendientes de negro alzado, cimarrón, independentista; y *nunca* descendientes de esclavista. Sin embargo, Próspero, como bien sabemos, le enseñó el idioma a Calibán, y consecuentemente le dio nombre. ¿Pero es ese su verdadero nombre? Oigamos este discurso de 1971:

"Todavía, con toda precisión, no tenemos siquiera un nombre, todavía no tenemos un nombre, estamos prácticamente sin bautizar: que si latinoamericanos, que si iberoamericanos, que si indoamericanos. Para los imperialistas no somos más que pueblos despreciados y despreciables. Al menos lo éramos. Desde Girón empezaron a pensar un poco diferente. Desprecio racial. Ser criollo, ser mestizo, ser negro, ser, sencillamente, latinoamericano, es para ellos desprecio." [37]

Es, naturalmente, Fidel Castro, en el décimo aniversario de la victoria de Playa Girón.

Asumir nuestra condición de Calibán implica repensar nuestra historia desde el *otro* lado, desde el *otro* protagonista. El *otro* protagonista de *La tempestad* (o, como hubiéramos dicho nosotros, *El ciclón*) no es por supuesto Ariel, sino Próspero.[38] No hay verdadera polaridad Ariel-Calibán: ambos son siervos en manos de Próspero, el hechicero extranjero. Sólo que Calibán es el rudo e inconquistable dueño de la isla, mientras que Ariel, criatura aérea, aunque hijo también de la isla, es en ella, como vieron Ponce y Césaire, el intelectual.

Otra vez Martí

Esta concepción de nuestra cultura ya había sido articuladamente expuesta y defendida, en el siglo pasado, por el primero de nuestros hombres en comprender claramente la situación concreta de lo que llamó —en denominación que he recordado varias veces— "Nuestra América mestiza": José Martí,[39] a quien Rodó quiso dedicar la primera edición cubana de *Ariel*, y sobre quien se propuso escribir un estudio como los que consagrara a Bolívar y a Artigas; estudio que, por desgracia, al cabo no realizó.[40]

Aunque lo hiciera a lo largo de cuantiosas páginas, quizás la ocasión en que Martí ofreció sus ideas sobre este punto de modo más orgánico y apretado fue su artículo de 1891 "Nuestra América". Pero antes de comentarlo someramente, querría hacer unas observaciones previas sobre el destino de los trabajos de Martí.

En vida de Martí, el grueso de su obra, desparramada por una veintena de periódicos continentales, conoció la fama. Sabemos que Rubén Darío llamó a Martí "Maestro" (como, por otras razones, también lo llamaban en vida sus seguidores políticos) y lo consideró el hispanoamericano a quien más admiró. Ya veremos, por otra parte, cómo el duro enjuiciamiento de los Estados Unidos que Martí solía hacer en sus crónicas era conocido en su época, y le valdría acerbas críticas por parte del proyanqui Sarmiento. Pero la forma peculiar en que se difundió la obra de Martí —quien utilizó el periodismo, la oratoria, las cartas, y *no publicó ningún libro—*, tiene no poca responsabilidad en el relativo olvido en que va a caer dicha obra a raíz de la muerte del héroe cubano en 1895. Sólo ello explica que a nueve años de esa muerte —y a doce de haber dejado Martí de escribir para la prensa continental, entregado como estaba desde 1892 a la tarea política—, un autor tan absolutamente nuestro, tan insospechable como Pedro Henríquez Ureña, escriba a sus veinte años (1904), en un artículo sobre el *Ariel* de Rodó, que los juicios de éste sobre los Estados Unidos son "mucho más severos que los formulados por dos máximos pensadores y geniales psicosociólogos antillanos: Hostos y Martí." [41] En lo que toca a Martí esta observación es completamente equivocada, y dada la ejemplar honestidad de Henríquez Ureña, me llevó a sospechar primero, y a verificar después, que se debía sencillamente al hecho de que para esa época el gran dominicano no había leído, *no había podido leer* a Martí sino muy insuficientemente: Martí apenas estaba *publicado* para entonces. Un texto como el fundamental "Nuestra América" es buen ejemplo de este destino. Los lectores del periódico mexicano *El Partido Liberal* pudieron leerlo el día 30 de enero de 1891. Es posible que algún otro periódico local lo haya republicado,[41 bis] aunque la más reciente edición de las *Obras completas* de Martí no nos indica nada al respecto. Pero lo más posible es que quienes no tuvieron la suerte de obtener dicho periódico, no pudieron saber de ese texto —el más importante documento publicado en esta América desde finales del siglo pasado hasta la aparición en 1962 de la *Segunda declaración de La Habana*— durante cerca de veinte años, al cabo de los cuales apareció en forma de libro (La Habana, 1910) en la irregular colección en que empezaron a publicarse las obras completas de Martí. Por eso le asiste la razón a Manuel Pedro González cuando afirma que durante el primer cuarto de este siglo, las nuevas promociones no conocían a Martí: es a partir de los ocho volúmenes que Alberto Ghiraldo publicó en Madrid en 1925, que se pone de nuevo en circulación "una mínima parte de su obra". Y es gracias a la aparición más reciente de varias ediciones de sus obras completas —en realidad, todavía incompletas— que "se le ha redescubierto y revalorado".[42] González está pensando sobre todo en el deslumbrante aspecto literario de esta obra ("la gloria literaria", como él dice). ¿Qué no podemos decir nosotros del fundamental aspecto ideológico de la misma? Sin olvidar muy importantes contribuciones previas, hay puntos esenciales en que puede decirse que es ahora, después del triunfo de la Revolución cubana, y gracias a ella, que Martí está siendo "redescubierto y revalorado". No es un azar que Fidel haya declarado en 1953 que el responsable intelectual del ataque al cuartel Moncada era Martí; ni que el Che haya iniciado en 1967 su trascendente *Mensaje a la Tricontinental* con una cita de Martí: "Es la hora de los hornos, y no se ha de ver más que la luz." Si Benedetti ha podido decir que el tiempo de Rodó "es otro que el nuestro [...] su verdadero hogar, su verdadera patria temporal era el siglo XIX", nosotros debemos decir, en cambio, que el verdadero hogar de Martí era el futuro, y por lo pronto este tiempo nuestro que sencillamente no se entiende sin un conocimiento cabal de su obra.

Ahora bien, si ese conocimiento, por las curiosas circunstancias aludidas, le estuvo vedado —o sólo le fue permitido de manera limitada— a las primeras promociones nuestras de este siglo, las que a menudo tuvieron por ello que valerse, para ulteriores planteos radicales, de una "primera plataforma de lanzamiento" tan bien intencionada pero al mismo tiempo tan endeble como el decimonónico *Ariel,* ¿qué podremos decir de autores más recientes que ya disponen de ediciones de Martí y, sin embargo, se obstinan en desconocerlo? No pienso, por supuesto, en estudiosos más o menos ajenos a nuestros problemas, sino, por el contrario, en quienes mantienen una consecuente actitud anticolonialista. La única explicación de este hecho es dolorosa: el colonialismo ha calado tan hondamente en nosotros, que sólo leemos con verdadero respeto a los autores anticolonialistas *difundidos desde las metrópolis.* De ahí que dejemos de lado la lección mayor de Martí; de ahí que apenas estemos familiarizados con Artigas, con Recabarren, con Mella, incluso con Mariátegui y Ponce. Y tengo la triste sospecha de que si los extraordinarios textos del Che Guevara conocen la mayor difusión que se ha acordado a un latinoamericano, el que lo lea con tanta avidez nuestra gente se debe también, en cierta medida, a que el suyo es nombre prestigioso incluso en las capitales metropolitanas —donde, por cierto, con frecuencia se le hace objeto de las más desvergonzadas manipulaciones—. Para ser consecuentes con nuestra actitud anticolonialista, tenemos que volvernos efectivamente a los hombres nuestros que en su conducta y en su pensamiento han encarnado e iluminado esa actitud.[43] Y en este sentido, ningún ejemplo más útil que el de Martí.

No conozco otro autor latinoamericano que haya dado una respuesta tan inmediata y tan coherente a otra pregunta que me hiciera mi interlocutor, el periodista europeo que mencioné al principio de estas líneas (y que de no existir, yo hubiera tenido que inventar, aunque esto último me privaría de su amistad, la cual espero que sobreviva a este monólogo). "¿Qué relación", me preguntó este sencillo malicioso, "guarda Borges con los incas?" Borges es casi una reducción al absurdo, y de todas maneras voy a ocuparme de él más tarde, pero es bueno, es justo preguntarse qué relación guardamos los actuales habitantes de esta América en cuya herencia zoológica y cultural Europa tuvo su indudable parte, con los primitivos habitantes de esta misma América, esos que habían construido culturas admirables, o estaban en vías de hacerlo, y fueron exterminados o martirizados por europeos de varias naciones, sobre los que no cabe levantar leyenda blanca ni negra, sino una infernal verdad de sangre que constituye —junto con hechos como la esclavitud de los africanos— su eterno deshonor. Martí, cuyo padre era valenciano y cuya madre era canaria; que escribía el más prodigioso idioma español de su tiempo —y del nuestro—, y que llegó a tener la mejor información sobre la cultura euronorteamericana de que haya disfrutado un hombre de nuestra América, también se hizo esta pregunta, y se la respondió así: "Se viene de padres de Valencia y madres de Canarias, y se siente correr por las venas la sangre enardecida de Tamanaco y Paramaconi, y se ve como propia la que vertieron por las breñas del cerro del Calvario, pecho a pecho con los gonzalos de férrea armadura, los desnudos y heroicos caracas."[44]

Presumo que el lector, si no es venezolano, no estará familiarizado con los nombres aquí evocados por Martí. Tampoco yo lo estaba. Esa carencia de familiaridad no es sino una nueva prueba de nuestro sometimiento a la perspectiva colonizadora de la historia que se nos ha impuesto, y nos ha evaporado nombres, fechas, circunstancias, verdades. En otro orden de cosas —estrechamente relacionado con éste—, ¿acaso la historia burguesa no borró a los héroes de la Comuna del 71, a los mártires del primero de mayo de 1886 (significativamente reivindicados por Martí)? Pues bien: Tamanaco, Paramaconi, "los desnudos y heroicos caracas", eran indígenas de lo que hoy llamamos Venezuela, *de origen caribe o muy cercanos a ellos,* que pelearon heroicamente frente a los españoles al inicio de la conquista. Lo cual quiere decir que Martí *ha escrito* que sentía correr por sus venas *sangre de caribe, sangre de Calibán.* No será la única vez que exprese esta idea, central en su pensamiento. Incluso valiéndose de tales héroes,[45] reiterará algún tiempo después: "Con Guaicaipuro, Paramaconi [héroes de las tierras venezolanas, probablemente de origen caribe], con Anacaona, con Hatuey [héroes de las Antillas, de origen arauaco] hemos de estar, y no con las llamas que los quemaron, ni con las cuerdas que los ataron, ni con los aceros que los degollaron, ni con los perros que los mordieron."[46] El rechazo de Martí al etnocidio que Europa realizó en América es *total,* y no menos total su identificación con los pueblos americanos que le ofrecieron heroica resistencia al invasor, y en quienes que en el cuaderno de apuntes en que aparece Martí veía los antecesores naturales de los independentistas latinoamericanos. Ello explica esta última cita siga escribiendo, casi sin transición, sobre la mitología azteca ("no menos bella que la griega"), sobre las cenizas de Quetzalcóatl, sobre "Ayacucho en meseta solitaria", sobre "Bolívar, como los ríos..." (p. 28-9).

Y es que Martí no sueña con una ya imposible restauración, sino con una integración futura de nuestra América que se asiente en sus verdaderas raíces y alcance, por sí misma, orgánicamente, las cimas de la auténtica modernidad. Por eso la cita primera, en que habla de sentir correr por sus venas la brava sangre caribe, continúa así:

"Bueno es abrir canales, sembrar escuelas, crear líneas de vapores, ponerse al nivel del propio tiempo, estar del lado de la vanguardia en la hermosa marcha humana; pero es bueno, para no desmayar en ella por falta de espíritu o alarde de espíritu falso, alimentarse, por el recuerdo y por la admiración, por el estudio justiciero y la amorosa lástima, de ese ferviente espíritu de la naturaleza en que se nace, crecido y avivado por el de los hombres de toda raza que de ella surgen y en ella se sepultan. Sólo cuando son directos prosperan la política y la literatura. La inteligencia americana es un penacho indígena. ¿No se ve cómo del mismo golpe que paralizó al indio se paralizó a América? Y hasta que no se haga andar al indio, no comenzará a andar bien la América." ["Autores aborígenes americanos", cit.]

La identificación de Martí con nuestra cultura aborigen, fue pues acompañada por un cabal sentido de las tareas concretas que le impuso su circunstancia: aquella identificación, lejos de estorbarle, le alimentó el mantener los criterios más radicales y modernos de su tiempo en los países coloniales. Este acercamiento de Martí al indio existe también con respecto al negro,[47] naturalmente. Por desgracia, si en su época ya se habían iniciado trabajos serios sobre las culturas aborígenes americanas —trabajos que Martí estudió amorosamente—, habría que esperar hasta el siglo XX para la realización de trabajos así en relación con las culturas africanas y el notable aporte que ellas significan para la integración de la cultura americana mestiza (Frobenius, Delafosse, Suret-Canale; Ortiz, Ramos, Herskovits, Roumain, Metraux, Bastide, Franco).[48] Y Martí había muerto cinco años antes de romper nuestro siglo. De todas formas, la "guía para la acción" la dejó claramente trazada en este campo: con su tratamiento de la cultura del indio y con su conducta concreta en relación con el negro.

Así se conforma su visión calibanesca de la cultura de lo que llamó "nuestra América". Martí es, como luego Fidel, consciente de la dificultad incluso de encontrar un nombre que, al nombrarnos, nos defina conceptualmente; por eso, después de varios tanteos, se inclina por esa modesta fórmula descriptiva, con lo que, más allá de razas, de lenguas, de circunstancias accesorias, abarca a las comunidades que con problemas comunes viven "del [río] Bravo a la Patagonia", y que se distinguen de "la América europea". Ya dije que, aunque dispersa en sus numerosísimas páginas, tal concepción de nuestra cultura se resume felizmente en el artículo-manifiesto "Nuestra América". A él remito al lector: a su reiterada idea de que no se pueden "regir pueblos originales, de composición singular y violenta, con leyes heredadas de cuatro siglos de práctica libre en los Estados Unidos, de diecinueve siglos de monarquía en Francia. Con un derecho de Hamilton no se le para la pechada al potro del llanero. Con una frase de Sieyès no se desestanca la sangre cuajada de la raza india"; a su arraigado concepto de que "el libro importado ha sido vencido en América por el hombre natural. Los hombres naturales han vencido a los letrados artificiales. *El mestizo autóctono ha vencido al criollo exótico*" (subrayado de R.F.R.); a su consejo fundador:

"La universidad europea ha de ceder a la universidad americana. La historia de América, de los incas acá, ha de enseñarse al dedillo, aunque no se enseñe la de los arcontes de Grecia. Nuestra Grecia es preferible a la Grecia que no es nuestra. Nos es más necesaria. Los políticos nacionales han de reemplazar a los políticos exóticos. Injértese en nuestras repúblicas el mundo, pero el tronco ha de ser el de nuestras repúblicas. Y calle el pedante vencido; que no hay patria en que pueda tener el hombre más orgullo que en nuestras dolorosas repúblicas americanas."

Vida verdadera de un dilema falso

Es imposible no ver en aquel texto —que, como se ha dicho, resume de modo relampagueante los criterios de Martí sobre este problema esencial— su rechazo violento a la imposición de Próspero ("la universidad europea [...] el libro europeo [...] el libro yanqui"), que "*ha de ceder*" ante la realidad de Calibán ("la universidad hispanoamericana [...] el enigma hispanoamericano"): "La historia de América, de los incas acá, ha de enseñarse al dedillo, aunque no se enseñe la de los arcontes de Grecia. Nuestra Grecia es preferible a la Grecia que no es nuestra." Y luego: "Con los oprimidos había que hacer causa común, para afianzar el sistema opuesto a los intereses y hábitos de los opresores."

Pero nuestra América había escuchado también, expresada con vehemencia por un hombre talentoso y enérgico muerto tres años antes de aparecer este trabajo, la tesis exactamente opuesta, la tesis de Próspero.[49] Los interlocutores no se llamaban entonces Próspero y Calibán, sino *civilización y barbarie,* título que el argentino Domingo Faustino Sarmiento dio a la primera edición (1845) de su gran libro sobre Facundo Quiroga. No creo que las confesiones autobiográficas interesen mucho aquí, pero ya que he mencionado, para castigarme, las alegrías que me significaron olvidables *westerns* y películas de Tarzán en que se nos inoculaba, sin saberlo nosotros, la ideología que verbalmente repudiábamos en los nazis (cumplí doce años cuando la Segunda guerra mundial estaba en su apogeo), debo también confesar que, pocos años después, leí con apasionamiento este libro. Encuentro en los márgenes de mi viejo ejemplar mis entusiasmos, mis rechazos al "tirano de la República Argentina" que había exclamado: "¡Traidores a la causa americana!" También encuentro, unas páginas adelante, este comentario: "Es curioso cómo se piensa en Perón". Fue muchos años más tarde, concretamente después del triunfo de la Revolución cubana en 1959 (cuando empezamos a vivir y a leer el mundo de otra manera), que comprendí que yo no había estado del lado mejor en aquel libro por otra parte notable. No era posible estar al mismo tiempo de acuerdo con *Facundo* y con "Nuestra América". Es más: "Nuestra América" —y buena parte de la obra toda de Martí— es un diálogo implícito, y a veces explícito, con las tesis sarmientinas. ¿Qué significa, si no, la frase lapidaria de Martí: "*No hay batalla entre* la *civilización y la barbarie,* sino entre la falsa erudición y la naturaleza"? Ocho años antes de aparecer "Nuestra América" (1891) —aún en vida de Sarmiento—, había hablado ya Martí (en frase que he citado más de una vez) del "pretexto de que la civilización, que es el nombre vulgar con que corre el estado actual del hombre europeo, tiene derecho natural de apoderarse de la tierra ajena, que es el nombre que los que desean la tierra ajena dan al estado actual de todo hombre que no es de Europa o de la América europea".[50]

En ambos casos, Martí *rechaza la falsa* dicotomía que Sarmiento da por sentada, cayendo en la trampa hábilmente tendida por el colonizador. Por eso, cuando dije hace un tiempo que "Martí, al echarse del lado de la «barbarie», prefigura a Fanon y a nuestra revolución"[51] —frase que algunos apresurados, sin reparar en las comillas, malentendieron, como si Fanon, Fidel y el Che fueran apóstoles de la barbarie—, escribí "barbarie" así, entre comillas, para indicar que desde luego no había tal estado. La supuesta barbarie de nuestros pueblos ha sido inventada con crudo cinismo por "quienes desean la tierra ajena"; los cuales, con igual desfachatez, daban el "nombre vulgar" de "civilización" al "estado actual" del hombre "de Europa o de la América europea". Lo que seguramente resultaba más doloroso para Martí era ver a un hombre de nuestra América —y a un hombre a quien, a pesar de diferencias insalvables, admiró en sus aspectos positivos[52]— incurrir en este gravísimo error. Pensando en figuras como Sarmiento fue que Martínez Estrada, quien había escrito *antes* tanta página elogiosa sobre él, publicó *en 1962*, en su libro *Diferencias y semejanzas entre los países de la América Latina:*

"Podemos de inmediato sentar la premisa de que quienes han trabajado, en algunos casos patrióticamente, por configurar la vida social toda con arreglo a pautas de otros países altamente desarrollados, cuya forma se debe a un proceso orgánico a lo largo de siglos, han traicionado a la causa de la verdadera emancipación de la América Latina." [53]

Carezco de la información necesaria para discutir ahora las virtudes y defectos de este peleador burgués: me limito a señalar su contradicción con Martí, y la coherencia de su pensamiento y su conducta. Como postuló la *civilización*, que encontró arquetípicamente encarnada en los Estados Unidos, abogó por el exterminio de los indígenas, según el feroz modelo yanqui, y adoró a la creciente República del norte, la cual, por otra parte, a mediados del siglo no había mostrado aún tan claramente las fallas que le descubriría luego Martí. En ambos extremos —que son precisamente eso: extremos, bordes de sus respectivos pensamientos— él y Martí discreparon irreconciliablemente.

Jaime Alazraki ha estudiado con algún detenimiento "El indigenismo de Martí y el antindigenismo de Sarmiento".[54] Remito al lector interesado en el tema a este trabajo. Aquí sólo traeré algunas de las citas de uno y otro aportadas en aquel estudio. He mencionado antes algunas de las observaciones de Martí sobre el indio. Alazraki recuerda otras:

"No más que pueblos en ciernes, no más que pueblos en bulbo eran aquellos en que con maña sutil de viejos vividores se entró el conquistador valiente, y descargó su poderosa herrajería, lo cual fue una desdicha histórica y un crimen natural. El tallo esbelto debió dejarse erguido, para que pudiera verse luego en toda su hermosura la obra entera y florecida de la Naturaleza. ¡Robaron los conquistadores una página al Universo!"

Y también:

"¡De toda aquella grandeza apenas quedan en el museo unos cuantos vasos de oro, unas piedras como yugo, de obsidiana pulida, y uno que otro anillo labrado! Tenochtitlán no existe. No existe Tulan, la ciudad de la gran feria. No existe Texcuco, el pueblo de los palacios. Los indios de ahora, al pasar por delante de las ruinas, bajan la cabeza, mueven los labios como si dijesen algo, y mientras las ruinas no les quedan atrás, no se ponen el sombrero."

Para Sarmiento, por su parte, la historia de América son "toldos de razas abyectas, un gran continente abandonado a los salvajes incapaces de progreso". Si queremos saber cómo interpretaba él el apotegma de su compatriota Alberdi "gobernar es poblar", es menester leerle esto: "Muchas dificultades ha de presentar la ocupación de país tan extenso; pero nada ha de ser comparable con las ventajas de la extinción de las tribus salvajes": es decir, para

Sarmiento gobernar es también *despoblar* de indios (y de gauchos). ¿Y en cuanto a los héroes de la resistencia frente a los españoles, esos hombres magníficos cuya sangre rebelde Martí sentía correr por sus venas? También Sarmiento se ha interrogado sobre ellos. Esta es su respuesta:

"Para nosotros Colocolo, Lautaro y Caupolicán, no obstante los ropajes nobles y civilizados [con] que los revistiera Ercilla, no son más que unos indios asquerosos, a quienes habríamos hecho colgar ahora, si reapareciesen en una guerra de los araucanos contra Chile, que nada tiene que ver con esa canalla."

Por supuesto, esto implica una visión de la conquista española radicalmente distinta de la mantenida por Martí. Para Sarmiento, "español, repetido cien veces en el sentido odioso de impío, inmoral, raptor, embaucador, es sinónimo de civilización, de la tradición europea traída por ellos a estos países". Y mientras para Martí "no hay odio de razas, porque no hay razas", para el autor de *Conflictos y armonías de las razas en América,* apoyado en teorías seudocientíficas,

"puede ser muy injusto exterminar salvajes, sofocar civilizaciones nacientes, conquistar pueblos que están en posesión de un terreno privilegiado; pero gracias a esta injusticia, la América, en lugar de permanecer abandonada a los salvajes, incapaces de progreso, está ocupada hoy por la raza caucásica, la más perfecta la más inteligente, la más bella y la más progresiva de las que pueblan la tierra; merced a estas injusticias, la Oceanía se llena de pueblos civilizados, el Asia empieza a moverse bajo el impulso europeo, el Africa ve renacer en sus costas los tiempos de Cartago y los días gloriosos del Egipto. Así pues, la población del mundo está sujeta a revoluciones que reconocen leyes inmutables; las razas fuertes exterminan a las débiles, los pueblos civilizados suplantan en la posesión de la tierra a los salvajes."

No era pues menester cruzar el Atlántico y buscar a Renan para oír tales palabras: un hombre de esta América las estaba diciendo. En realidad, si no las aprendió, al menos las robusteció de este lado del Océano, sólo que no en nuestra América, sino en la otra, en "la América europea", cuyo más fanático devoto fue Sarmiento en nuestras tierras mestizas, durante el siglo XIX. Aunque no faltaron en ese siglo los latinoamericanos adoradores de los yanquis, sería sobre todo gracias al cipayismo delirante en que, desgraciadamente, ha sido pródigo nuestro siglo XX latinoamericano, que encontraríamos iguales de Sarmiento en la devoción hacia los Estados Unidos. Lo que Sarmiento quiso hacer para la Argentina fue exactamente lo que los Estados Unidos habían realizado para ellos. Las últimas palabras que escribió (1888) fueron: "Alcanzaremos a los Estados Unidos [. . .] Seamos Estados Unidos". Sus viajes a aquel país le produjeron un verdadero deslumbramiento, un inacabable orgasmo histórico. A similitud de lo que vio allí, quiso echar en su patria las bases de una burguesía acometedora, cuyo destino actual hace innecesario el comentario.

También es suficientemente conocido lo que Martí vio en los Estados Unidos como para que tengamos ahora que insistir en el punto. Baste recordar que fue el primer antimperialista militante de nuestro continente; que denunció, durante quince años, "el carácter crudo, desigual y decadente de los Estados Unidos, y la existencia, en ellos continua, de todas las violencias, discordias, inmoralidades y desórdenes de que se culpa a los pueblos hispanoamericanos";[55] que a unas horas de su muerte, en el campo de batalla, confió en carta a su gran amigo mexicano Manuel Mercado: "cuanto hice hasta hoy, y haré es para eso [...] impedir a tiempo que se extiendan por las Antillas los Estados Unidos y caigan, con esa fuerza más, sobre nuestras tierras de América."[56]

Sarmiento no permaneció silencioso ante la crítica que —con frecuencia desde las propias páginas de *La Nación*— hacía Martí de sus idolatrados Estados Unidos, y comentó así la increíble osadía:

"Una cosa le falta a don José Martí para ser un publicista [...] Fáltale regenerarse, educarse, si es posible decirlo, recibiendo del pueblo en que vive la inspiración, como se recibe el alimento para convertirlo en sangre que vivifica [...] Quisiera que Martí nos diera menos Martí, menos español de raza y menos americano del Sur, por un poco más del yanki, el nuevo tipo del hombre moderno [. . .] // Hace gracia oír a un francés del *Courier des Etats Unis* reír de la beocia y de la incapacidad política de los yanquis, cuyas instituciones Gladstone proclama como la obra suprema de la especie humana. Pero criticar con aires magisteriales aquello que ve allí un hispanoamericano, un español, con los retacitos de juicio político que le han trasmitido los libros de otras naciones, como queremos ver las manchas del sol con un vidrio empañado, es hacer gravísimo mal al lector, a quien llevan por un camino de perdición [. . .] // Que no nos vengan, pues, en su insolente humildad los sudamericanos, semi-indios y semi-españoles, a encontrar malo [. . .]" [57]

Sarmiento, tan vehemente en el elogio como en la invectiva, coloca aquí a Martí entre los "semi-indios": lo que era en el fondo cierto y, para Martí, enorgullecedor, pero que en boca de Sarmiento ya hemos visto lo que implicaba. . .

Por todo esto, y aunque escritores valiosos han querido señalar posibles similitudes, creo que se comprenderá lo difícil que es aceptar un paralelo entre estos dos hombres como el que realizara, en doscientas sesentidós despreocupadas páginas, Emeterio S. Santovenia: *Genio y acción. Sarmiento y Martí* (La Habana, 1938). Baste una muestra para este autor,

"por encima de las discrepancias que señalaron el alcance o las limitaciones de sus respectivas proyecciones sobre América, surgió la coincidencia [sic] de sus apreciaciones [las de Sarmiento y Martí] acerca de la parte que tuvo la anglosajona en el desarrollo de las ideas políticas y sociales que abonaron el árbol de la emancipación total del nuevo mundo." (p. 73)

Pensamientos, sintaxis y metáfora forestal dan idea de lo que era nuestra cultura cuando formábamos parte del mundo libre, del que el señor Santovenia fue eximio representante —y ministro de Batista en sus ratos de ocio—.

Del Mundo Libre

Pero la parte del mundo libre que le toca a la América Latina tiene hoy figuras mucho más memorables: pienso en Jorge Luis Borges, por ejemplo, cuyo nombre parece asociado a ese adjetivo; pienso en el Borges que hace poco tiempo dedicara su traducción —presumiblemente buena— de las *Hojas de hierba* de Walt Whitman, al presidente de los Estados Unidos, Richard Nixon. Es verdad que este hombre escribió en 1926:

"A los criollos les quiero hablar: a los hombres que en esta tierra se sienten vivir y morir, no a los que creen que el sol y la luna están en Europa. Tierra de desterrados natos es ésta, de nostalgiosos de lo lejano y lo ajeno: ellos son los *gringos* de veras, autorícelo o no su sangre, y con ellos no habla mi pluma;"[58]

Es verdad también que allí aparece presentado Sarmiento como un "norteamericanizado indio bravo, gran odiador y desentendedor de lo criollo";[59] pero sobre todo es verdad que *ese Borges* no es el que ha pasado a la historia: este memorioso decidió olvidar aquel librito de juventud, escrito a pocos años de haber sido uno de los integrantes "de la secta, de la equivocación ultraísta". También para él fueron una equivocación aquel libro, aquellas ideas. Patéticamente fiel a su clase,[60] iba a ser otro el Borges que se conocería, que se difundiría, que sabría de la gloria oficial y de los casi incontables premios, algunos de los cuales, de puro desconocidos, más bien parecen premiados por él. El Borges sobre el cual se habla, y al que vamos a dedicar unas líneas, es el que hace eco al grotesco "pertenecemos al Imperio Romano" de Sarmiento, con esta declaración no de 1926 sino de 1955: "creo que nuestra tradición es Europa".[61]

Podría parecer extraño que la filiación ideológica de aquel activo y rugiente pionero venga a ostentarla hoy un hombre sentado, un escritor como Borges, representante arquetípico de una cultura libresca que en apariencia poco tiene que ver con la constante vitalidad de Sarmiento. Pero esta extrañeza sólo probaría lo acostumbrados que estamos a considerar las producciones supraestructurales de nuestro continente, cuando no del mundo todo, al margen de las concretas realidades estructurales que le dan sentido. Prescindiendo de ellas, ¿quién reconocería como descendientes de los pensadores enérgicos y audaces de la burguesía en ascenso a las ruinas exangües que son los intelectuales burgueses de nuestros días? Basta con ver a nuestros escritores, a nuestros pensadores, en relación con las clases concretas a cuya visión del mundo dan voz, para que podamos ubicarlos con justicia, trazar su verdadera filiación. El diálogo a que asistimos entre Sarmiento y Martí era sobre todo un enfrentamiento clasista.

Independientemente de su origen, Sarmiento es el implacable ideólogo de una burguesía argentina que intenta trasladar los esquemas de burguesías metropolitanas, concretamente la norteamericana, a su país. Para ello necesita imponerse, como toda burguesía, sobre las clases populares, necesita explotarlas en su trabajo y despreciarlas en su espíritu. La forma como se desarrolla una clase burguesa a expensas de la bestialización de las clases populares está inolvidablemente mostrada en páginas terribles de *El capital,* tomándose el ejemplo de Inglaterra. "La América europea", cuyo capitalismo lograría expandirse fabulosamente sin las trabas de la sociedad feudal, añadió a la hazaña inglesa nuevos círculos infernales: la esclavitud del negro y el exterminio del indio inconquistable. Eran estos los modelos que Sarmiento tenía ante la vista y se propuso seguir con fidelidad. Quizás sea él el más consecuente, el más activo de los ideólogos burgueses en nuestro continente durante el siglo XIX.

Martí, por su parte, es el consciente vocero de las clases explotadas. "Con los oprimidos había que hacer causa común", nos dejó dicho, "para afianzar el sistema opuesto a los intereses y hábitos de los opresores". Y como a partir de la conquista indios y negros habían sido relegados a la base de la pirámide, hacer causa común con los oprimidos venía a coincidir en gran medida con hacer causa común con los indios y los negros, que es lo que hace Martí. Esos indios y esos negros se habían venido mezclando entre sí y con algunos blancos, dando lugar al mestizaje que está en la raíz de nuestra América, donde —también según Martí— "el mestizo autóctono ha vencido al criollo exótico". Sarmiento es un feroz racista porque es un ideólogo de las clases explotadoras donde campea "el criollo exótico"; Martí es radicalmente antirracista porque es portavoz de las clases explotadas, donde se están fundiendo las tres razas. Sarmiento se opone a lo americano esencial para implantar aquí, a sangre y fuego, como pretendieron los conquistadores, fórmulas foráneas; Martí defiende lo autóctono, lo verdaderamente americano. Lo cual, por supuesto, no quiere decir que rechazara torpemente cuanto de positivo le ofrecieran otras realidades: "Injértese en nuestras repúblicas el mundo", dijo, "pero el tronco ha de ser el de nuestras repúblicas". También Sarmiento pretendió injertar en nuestras repúblicas el mundo, pero descuajando el tronco de nuestras repúblicas. Por eso, si a Martí lo continúan Mella y Vallejo, Fidel y el Che y la nueva cultura revolucionaria latinoamericana, a Sarmiento, a pesar de su complejidad, finalmente lo heredan los representantes de la viceburguesía argentina, derrotada por añadidura. Pues aquel sueño de desarrollo burgués que concibió Sarmiento, ni siquiera era realizable: no había desarrollo para una eventual burguesía argentina. La América Latina había llegado tarde a esa fiesta. Como escribió Mariátegui: "La época de la libre concurrencia en la economía capitalista, ha terminado en todos los campos y todos los aspectos. Estamos en la época de los monopolios, vale decir de los imperios. Los países latinoamericanos llegan con retardo a la competencia capitalista. Los primeros puestos, están definitivamente asignados. El destino de estos países, dentro del orden capitalista, es de simples colonias." [62]

Integrados a lo que luego se llamaría, con involuntario humorismo, el "mundo libre", nuestros países estrenarían una nueva manera de no ser independientes, a pesar de contar con escudos, himnos, banderas y presidentes: el neocolonialismo. La burguesía a la que Sarmiento había trazado tan amenas perspectivas, no pasaba de ser simple viceburguesía, modesto socio local de la explotación imperial —la inglesa primero, la norteamericana después—.

Es a esta luz que se ve con más claridad el

vínculo entre Sarmiento, cuyo nombre está enlazado a vastos proyectos pedagógicos, a espacios inmensos, a vías férreas, a barcos, y Borges, cuya mención evoca espejos que repiten la misma desdichada imagen, laberintos sin solución, una triste biblioteca a oscuras. Por lo demás, si se le reconoce *americanidad* a Sarmiento —lo que es evidente, y no significa que represente el polo positivo de esa americanidad—, nunca he podido entender por qué se le niega a Borges: Borges es un típico escritor colonial, representante entre nosotros de una clase ya sin fuerzas, cuyo acto de escritura —como él sabe bien, pues es de una endiablada inteligencia— se parece más a un acto de lectura. Borges no es un escritor europeo: no hay ningún escritor europeo como Borges; pero hay *muchos* escritores europeos, desde Islandia hasta el expresionismo alemán, que Borges ha *leído,* barajado, confrontado. Los escritores europeos pertenecen a tradiciones muy concretas y provincianas, llegándose al caso de un Péguy, quien se jactaba de no haber leído más que autores franceses. Fuera de algunos profesores de filología que reciben un salario por ello, no hay más que un tipo de hombre que conozca de veras, en su conjunto, la literatura europea: el colonial. Sólo en caso de demencia puede un escritor argentino culto jactarse de no haber leído más que autores argentinos —o escritores de lengua española—. Y Borges no es un demente. Es, por el contrario, un hombre muy lúcido, un hombre que ejemplifica la idea martiana de que la inteligencia es sólo una parte del hombre, y no la mejor.

La escritura de Borges sale directamente de su lectura, en un peculiar proceso de fagocitosis que indica con claridad que es un colonial y que representa a una clase que se extingue. Para él, la creación cultural por excelencia es una biblioteca; o mejor: un museo, que es el sitio donde se reúnen las creaciones que no son de allí: museo de horrores, de monstruos, de excelencias, de citas o de artes folklóricas (las argentinas, vistas con ojo museal), la obra de Borges, escrita en un español que es difícil leer sin admiración, es uno de los escándalos americanos de estos años.

A diferencia de otros importantes escritores latinoamericanos Borges no pretende ser un hombre de izquierda. Por el contrario: su posición en este orden lo lleva a firmar en favor de los invasores de Girón, a pedir la pena de muerte para Debray o a dedicar un libro a Nixon. Muchos admiradores suyos, que deploran (o dicen deplorar) actos así, sostienen que hay una dicotomía en su vida, la cual le permite, por una parte, escribir textos levemente inmortales, y por otra, firmar declaraciones políticas más que malignas, pueriles. Puede ser. También es posible que no haya tal dicotomía, y que debamos acostumbrarnos a restituirle su unidad al autor de *El jardín de senderos que se bifurcan.* Con ello no se propone que encontremos faltas de ortografía o de sintaxis en sus pulcras páginas, sino que las leamos como lo que después de todo son: el testamento atormentado de una clase sin salida, que se empequeñece hasta decir por boca de un hombre: "el mundo, desgraciadamente, es real; yo, desgraciadamente, soy Borges".

Es singular que la escritura/lectura de Borges conozca un destino particularmente favorable en la Europa capitalista, en el momento en que esa misma Europa inicia su condición colonial ante "el desafío americano". En el libro de este título, con desembozado cinismo, exclama Jean-Jacques Servan-Schreiber: "ahora bien, Europa no es Argelia ni el Senegal".[63] Es decir: ¡los Estados Unidos no le pueden hacer a Europa lo que Europa le hizo a Argelia y a Senegal! Hay malas noticias para Europa. Parece que después de todo, sí, sí se lo pueden hacer, se lo vienen haciendo hace algún tiempo. Y si ello ocurre en el terreno económico —con complejas derivaciones políticas—, su superestructura cultural está revelando claros síntomas coloniales. Bien podría ser uno de ellos el auge de la escritura/lectura de Borges.

Pero, naturalmente, la herencia de Borges, en quien ya vimos que se desangraba la de Sarmiento, hay que buscarla sobre todo en la América Latina, donde implicará descender aún más en el ímpetu y en la calidad. Como este no es un panorama, sino un simple ensayo sobre la cultura latinoamericana, voy a ceñirme a un caso, que me doy cuenta de que es muy menor, pero que es un síntoma a pesar de todo válido: voy a comentar un pequeño libro crítico de Carlos Fuentes: *La nueva novela hispanoamericana* (México, 1969).

Vocero de la misma clase que Borges, Fuentes tuvo, como él, veleidades izquierdistas en la juventud. A *El tamaño de mi esperanza* (1926), de Borges, corresponde *La muerte de Artemio Cruz* (1962), de Fuentes. Y seguir juzgando a Fuentes por este libro, sin duda una buena novela nuestra, sería tan insensato como seguir juzgando a Borges por aquel libro. Sólo que Borges, más consecuente —y más valioso en todo: Borges es un escritor verdaderamente importante, aunque discrepemos tanto de él—, decidió asumir plenamente su condición de hombre de derecha, mientras que Fuentes actúa como tal y pretende conservar, a ratos, un vocabulario de izquierda donde no falta por supuesto la mención de Marx.

En *La muerte de Artemio Cruz,* un secretario integrado plenamente al sistema, sintetiza su biografía en este diálogo:

"—Es usted muy joven. ¿Qué edad tiene?

—Veintisiete años.

—¿Cuándo se recibió?

—Hace tres años. Pero...

—¿Pero qué?

—Que es muy distinta la teoría de la práctica.

—Y eso le da risa. ¿Qué cosa le enseñaron?

—Mucho marxismo. Hasta hice la tesis sobre la plusvalía.

—Ha de ser una buena disciplina, Padilla.

—Pero la práctica es muy distinta.

—¿Usted es eso, marxista?

—Bueno, todos mis amigos lo eran. Ha de ser cosa de la edad." [64]

El diálogo expresa con bastante claridad la situación de una zona de la *intelligentsia* mexicana que, aunque comparte la ubicación y la conducta clasistas del equipo de Borges, difiere de éste, por razones locales, en aspectos accesorios. Pienso, concretamente, en la llamada *maffia* mexicana, una de cuyas más conspicuas figuras es Carlos Fuentes. Este equipo expresó cálidamente su simpatía por la Revolución cubana hasta que, en 1961, la Revolución proclamó y demostró ser marxista-leninista, es decir, una revolución que tiene al frente la alianza obrero-campesina. A partir de ese momento, la *maffia* le espació de modo creciente su apoyo, hasta que en estos meses, aprovechando la alharaca desatada en torno al mes de prisión de un escritor cubano, rompió estrepitosamente con Cuba.

Es aleccionadora esta simetría: en 1961, en el momento de Playa Girón, el único conjunto de escritores latinoamericanos que expresó en un manifiesto su deseo de que Cuba fuera derrotada por los mercenarios al servicio del imperialismo fue el grupo de escritores argentinos centrados en torno a Borges; [65] diez años después, en 1971, el único equipo nacional de escritores del continente en romper con Cuba aprovechando un visible pretexto y calumniando la conducta de la Revolución, ha sido la *maffia* mexicana. Es un simple relevo dentro de una actitud equivalente.

A esa luz se entiende mejor el intento del librito de Fuentes sobre la nueva novela hispanoamericana. El desarrollo de esa nueva novela es uno de los rasgos sobresalientes de la literatura de estos últimos años, y su difusión más allá de nuestras fronteras es en gran medida consecuencia de la atención mundial que nuestro continente merece desde el triunfo de la Revolución cubana, en 1959.[66]

Lógicamente, esa nueva novela ha merecido variadas interpretaciones, numerosos estudios. El de Carlos Fuentes, pese a su brevedad (no llega a cien páginas), es toda una toma de posición ante la literatura y ante la política, que sintetiza con claridad una hábil posición de derecha en nuestros países.

Fuentes pone rápidamente las cartas sobre la mesa: en el primer capítulo, que se llama ejemplarmente "civilización y barbarie", hace suya de entrada, como era de esperarse, la tesis de Sarmiento: en el siglo XIX, "sólo un drama puede desarrollarse en este medio: el que Sarmiento definió en el subtítulo de *Facundo*: Civilización y Barbarie". Ese drama es el conflicto "de los primeros cien años de la novela y de la sociedad latinoamericanas" (p. 10). La narrativa correspondiente a ese conflicto presenta cuatro factores: "una naturaleza esencialmente extraña" (¿a quién?) que "era el verdadero *personaje* latinoamericano"; el dictador a la escala nacional o regional; la masa explotada, y "un cuarto factor, el escritor, *que invariablemente toma partido por la civilización y contra la barbarie*" (p. 11-2, subrayado de R.F.R.), hecho que implica, según Fuentes, "defender a los explotados", etc., y que Sarmiento hizo ver en qué consistía de veras. Esa polaridad decimonónica, sin embargo, no se mantendrá igual, según él, en el siglo siguiente: "en el siglo XX, el mismo intelectual deberá luchar dentro de una sociedad mucho más compleja, interna e internacionalmente", complejidad debida a que el imperialismo penetrará en estos países mientras, algún tiempo después, se producirá "la revuelta y el ascenso [. . .] del mundo subindustrializado". Fuentes olvida considerar, dentro de los factores internacionales que en el siglo XX habrá que tomar en cuenta, al socialismo. Pero desliza esta fórmula oportuna: "se inicia el tránsito del simplismo épico a la complejidad dialéctica" (p. 13). "Simplismo épico" era la lucha durante el siglo XIX entre civilización y barbarie, en la que, según Fuentes, "el escritor" (quiere decir, el escritor *como él*) "invariablemente toma partido por la civilización y contra la barbarie", esto es, se convierte en un servidor incondicional de la nueva oligarquía y en un enemigo cerril de las masas americanas; "la complejidad dialéctica" es la forma que asume esa colaboración en el siglo XX, cuando aquella oligarquía se ha revelado mera intermediaria de los intereses imperiales, y "el escritor" como Fuentes debe ahora servir a dos amos, lo que, aun tratándose de amos tan bien llevados, desde el Evangelio sabemos que implica cierta "complejidad dialéctica", sobre todo si se pretende hacer creer que a quien se está sirviendo de veras es a un tercer amo: el pueblo. Es interesante, aunque con una ligera ausencia, la breve síntesis que ofrece el lúcido Fuentes de un aspecto de la penetración del imperialismo en nuestros países:

"Este [dice Fuentes], a fin de intervenir eficazmente en la vida económica de cada país latinoamericano, requiere no sólo una clase intermediaria dirigente, sino toda una serie de servicios en la administración pública, el comercio, la publicidad, la gerencia de negocios, las industrias extractivas y de transformación, la banca, los transportes y aun el espectáculo: Pan y Circo. General Motors ensambla automóviles, repatria utilidades y patrocina programas de televisión." [p. 14].

Como ejemplo final, nos hubiera sido más útil —aunque siempre sea válido el de la General Motors—, el ejemplo de la CIA, la cual organiza la expedición de Playa Girón y paga, a través de transparentes intermediarios, la revista *Mundo Nuevo*, uno de cuyos principales ideólogos fue precisamente Carlos Fuentes.

Sentadas esas premisas políticas, Fuentes pasa a postular ciertas premisas literarias, antes de concentrarse en los autores que estudia —Vargas Llosa, Carpentier, García Márquez, Cortázar y Goytisolo—, y concluye luego con nuevas observaciones políticas. No me interesa detenerme en las críticas en sí, sino simplemente señalar algunos lineamientos ideológicos, por otra parte muy visibles: este librito parece a veces un verdadero manifiesto ideológico.

Una apreciación crítica de la literatura requiere partir de un concepto previo de la crítica misma, debe haberse respondido satisfactoriamente la pregunta elemental: ¿qué es la crítica? Me parece aceptable la modesta opinión de Krystina Pomorska (en *Russian formalist theory and its poetic ambiance,* Mouton, 1968), la cual, según Tzvetan Todorov,

"defiende allí la tesis siguiente: todo método crítico es una generalización de la práctica literaria contemporánea. Los métodos críticos de la época del clasicismo fueron elaborados en función de las obras literarias clásicas. La crítica de los románticos retoma los principios del propio romanticismo (la sicología, lo irracional, etc.)." [67]

Pues bien, al leer la crítica que hace Fuentes de la nueva novela hispanoamericana, nos damos cuenta de que su "método crítico es una generalización de la práctica literaria contemporánea"... de otras literaturas, *no* de la literatura hispanoamericana: lo que, por otra parte, casa perfectamente con la ideología enajenada y enajenante de Fuentes.

Tras el magisterio de hombres como Alejo Carpentier, que en vano han tratado de negar algunos usufructuarios del *boom,* la empresa acometida por la nueva novela hispanoamericana, empresa que puede parecer "superada" o ya realizada por la narrativa de los países capitalistas, como no han dejado de observar ciertos críticos, implica una reinterpretación de nuestra historia. Indiferente a este hecho palmario —que en muchos casos guarda relaciones ostensibles con la nueva perspectiva que la Revolución ha aportado a nuestra América, y que tiene no poca responsabilidad en la difusión de esta narrativa entre quienes desean conocer a ese continente del que tanto se habla—, Fuentes evapora la carnalidad de esa novela, cuya crítica requeriría en primer lugar generalizar y enjuiciar esa visión de la historia expresada en ella, y le aplica tranquilamente, como he dicho, esquemas derivados de otras literaturas (de países capitalistas) reducidas hoy día a especulaciones lingüísticas.

El extraordinario auge que en los últimos años ha conocido la lingüística, ha llevado a más de uno a considerar que "el siglo XX, que es el siglo de tantas cosas, parece ser, por encima de todo, el siglo de la lingüística":[68] aunque para nosotros, entre esas "tantas cosas", tengan más relieve el establecimiento de gobiernos socialistas y la descolonización como rasgos salientes de este siglo. Puedo aportar, como modesto ejemplo personal de ese auge, que todavía en 1955, cuando era alumno de lingüística de André Martinet, los temas lingüísticos estaban confinados en París a las aulas universitarias; fuera de ellas, hablábamos con nuestros amigos de literatura, de filosofía y de política. Tan sólo unos años después, la lingüística —que en su vertiente estructuralista había napoleonizado otras ciencias sociales, como ha contado Lévi-Strauss— era en París el tema obligado de las conversaciones: literatura, filosofía y política se abordaban entonces *en estructuralistas*. (Hablo de hace unos años: ahora el estructuralismo parece encontrarse en retirada. Pero en nuestras tierras se insistirá todavía un tiempo en esta ideología.)

Pues bien: no dudo de que existan razones específicamente científicas que hayan abonado en favor de ese auge de la lingüística. Pero sé también que hay razones *ideológicas* para tal auge más allá de la propia materia. En lo que atañe a los estudios literarios, no es difícil señalar tales razones ideológicas, del formalismo ruso al estructuralismo francés, cuyas virtudes y limitaciones no pueden señalarse al margen de esas razones, y entre ellas la pretendida ahistorización propia de una clase que se extingue: una clase que inició su carrera histórica con *utopías* desafiantes para azuzar al tiempo, y que pretende congelar esa carrera, ahora que le es adversa, con imposibles *ucronías*. De todas formas, es necesario reconocer la congruencia de esos estudios con las respectivas literaturas coetáneas. En cambio, cuando Fuentes, haciendo caso omiso de la realidad concreta de la narrativa hispanoamericana de estos años, pretende imponerle esquemas provenientes de otras literaturas, de otras elaboraciones críticas, añade, en una típica actitud colonial, un segundo grado de ideologización a su crítica. En síntesis, ésta se reduce a decirnos que nuestra narrativa actual *—como las de los países capitalistas aparentemente coetáneos—* es ante todo hazaña del lenguaje. Eso, entre otras cosas, le permite minimizar graciosamente todo lo que en esa narrativa implica concreción histórica precisa. Por otra parte, la manera como Fuentes sienta las bases de su abordaje lingüístico tiene la pedantería y el provincianismo típicos del colonial que quiere hacer ver al metropolitano que él también puede hombrearse con los grandes temas a la moda *allá,* al mismo tiempo que espera deslumbrar a sus compatriotas, en quienes confía encontrar ignorancia aún mayor que la suya. Lo que emite son cosas así:

"El cambio engloba las categorías del proceso y el habla, de la diacronía; la estructura, las del sistema y la lengua, de la sincronía. La interacción de todas estas categorías es la palabra, que liga a la diacronía con la sincronía, al habla con la lengua a través del discurso y al proceso con el sistema a través del evento, así como al evento y al discurso en sí." [p. 33]

Estas banalidades, sin embargo —que cualquier buen manualito de lingüística hubiera podido aliviar—, no deben provocarnos sólo una sonrisa: Fuentes está elaborando como puede una consecuente visión de nuestra literatura, de nuestra cultura; una visión que, significativamente, coincide en lo esencial con la propuesta por escritores como Emir Rodríguez Monegal y Severo Sarduy.

Es revelador que para Fuentes la tesis del papel preponderante del lenguaje en la nueva novela hispanoamericana encuentre su fundamentación en la prosa de Borges, "sin la cual no habría, simplemente, moderna novela hispanoamericana", dice Fuentes, ya que "el sentido final" de aquella prosa "es atestiguar, primero, que Latinoamérica carece de lenguaje y, por ende, que debe constituirlo". Esta hazaña singular la logra Borges, según Fuentes, creando "un nuevo lenguaje latinoamericano que, por puro contraste, revela la mentira, la sumisión y la falsedad de lo que tradicionalmente pasaba por «lenguaje» entre nosotros". (p. 26)

Naturalmente, sobre tales criterios, la ahistorización de la literatura puede alcanzar expresiones verdaderamente delirantes. Nos enteramos, por ejemplo, de que *La pornografía,* de Witold Gombrowicz,

"pudo haber sido contada por un aborigen de la selva amazónica [. . .] Ni la nacionalidad ni la clase social, al cabo, definen la diferencia entre Gombrowicz y el posible narrador del mismo mito iniciático en una selva brasileña sino, precisamente, la posibilidad de combinar distintamente el discurso. Sólo a partir de la universalidad de las estructuras lingüísticas pueden admitirse, a posteriori, los datos excéntricos de nacionalidad y clase." [p. 22]

Y, consecuentemente, se nos dice también que "es más cercano a la verdad entender, en primera instancia, el conflicto de la literatura hispanoamericana *en relación con ciertas categorías del quehacer literario*" (p. 24, subrayado de R.F.R.), y no en relación con la historia; aún más:

"la *vieja* obligación de la denuncia se convierte en una elaboración *mucho más ardua*: la elaboración crítica de todo lo no dicho en nuestra larga historia de mentiras, silencios, retóricas y complicidades académicas. *Inventar un lenguaje es decir todo lo que la historia ha callado.*" [p. 30, subrayado de R.F.R.]

De ese modo, esta interpretación salva la col y la cabra: concebida así, la literatura no sólo se sustrae a cualquier tarea peleadora (que aquí queda degradada con un hábil adjetivo: "la *vieja* obligación de la denuncia"), sino que esa sustracción, lejos de ser un repliegue, es "una elaboración *mucho más ardua*", ya que va a decir nada menos que "*todo lo que la historia ha callado*". Más adelante se nos dirá que nuestro verdadero lenguaje está en vías de ser descubierto y creado, "y en el acto mismo de su descubrimiento y creación, pone en jaque, *revolucionariamente*, toda una estructura económica, política y social, fundada en un lenguaje verticalmente falso" (p. 94-5, subrayado de R.F.R.).

Esta manera astuta, aunque a la vez superficial, de proponer las tareas de la derecha con el lenguaje de la izquierda, nos hace recordar —y es difícil olvidarlo un solo instante— que Fuentes pertenece a la *maffia* mexicana, cuyos rasgos ha pretendido extender más allá de las fronteras de su país.

Por otra parte, que este planteo es el traslado a cuestiones literarias de una plataforma política raigalmente reaccionaria, no es una conjetura. Está dicho a lo largo del librito, y en especial, de modo explícito, en sus páginas finales: además de los consabidos ataques al socialismo, aparecen allí observaciones como éstas: "Quizás el triste futuro inmediato de América Latina sea el populismo fascista, la dictadura de estirpe peronista capaz de realizar algunas reformas a cambio de la supresión del impulso revolucionario y de la libertad pública". (p. 96) La tesis de "civilización y barbarie" parece no haberse modificado un ápice. Y, sin embargo, sí: se ha agravado con la presencia devastadora del imperialismo en nuestras tierras. Fuentes se hace cargo de esta realidad con un espantajo: el anuncio de que se abre ante nosotros

"una perspectiva mucho más grave: a medida que se agiganta el foso entre el desarrollo geométrico del mundo tecnocrático y el desarrollo aritmético de nuestras sociedades ancilares, Latinoamérica se convierte en un mundo *prescindible* [subrayado de C.F.] para el imperialismo. Tradicionalmente, hemos sido países explotados. *Pronto, ni esto seremos* [subrayado de R.F.R.]: no será necesario explotarnos, porque la tecnología habrá podido —en gran medida lo puede ya— sustituir industrialmente nuestros ofrecimientos monoproductivos." [ibid.]

A esta luz, y habida cuenta de que para Fuentes la revolución carece de perspectivas en la América Latina —insiste en hablar de la imposibilidad de una "segunda Cuba" (p. 96), y no puede aceptar las formas variadas, imprevisibles, que asumirá ese proceso—, casi debemos sentirnos agradecidos de que la tecnología imperialista no *prescinda* de nosotros; de que no se ponga a sustituir industrialmente (como "lo puede ya") nuestros pobrecitos productos.

Me he detenido quizás más de lo necesario en Fuentes, porque es una de las más destacadas figuras entre los nuevos escritores latinoamericanos que se han propuesto elaborar, en el orden cultural, una plataforma contrarrevolucionaria que en apariencia vaya más allá de las burdas simplificaciones propias del programa *Cita con Cuba,* de la Voz de los Estados Unidos de América. Esos escritores contaron ya con un órgano adecuado: la revista *Mundo Nuevo,*[69] financiada por la CIA, cuyo basamento ideológico está resumido en el mentado librito de Fuentes de una manera que difícilmente hubieran podido realizar la pesantez profesoral de Emir Rodríguez Monegal o el mariposeo neobarthesiano de Severo Sarduy —los otros dos "críticos" de la revista—. Aquella publicación, que reunió a esos hombres y además a otros muy similares a ellos, como Guillermo Cabrera Infante y Juan Goytisolo, va a ser relevada en estos días por otra que parece que contará esencialmente con el mismo equipo, más algunos añadidos: la revista *Libre*. La fusión de ambos títulos es suficientemente explícita: *Mundo Libre*.

El porvenir empezado

La pretensión de englobarnos en el "mundo libre" —nombre regocijado que se dan hoy a sí mismos los países capitalistas, y de paso regalan a sus oprimidas colonias y neocolonias— es la versión moderna de la pretensión decimonónica de las clases criollas explotadoras de someternos a la supuesta "civilización"; y esta última pretensión, a su vez, retoma los propósitos de los conquistadores europeos. En todos estos casos, con ligeras variantes, es claro que la América Latina no existe sino, a lo más, como una *resistencia* que es menester vencer para implantar sobre ella la *verdadera* cultura, la de "los pueblos modernos que se gratifican a ellos mismos con el epíteto de civilizados", en frase de Pareto [70] que tanto recuerda la que en 1883 escribiera Martí sobre la "civilización, que es el nombre vulgar con que corre el estado actual del hombre europeo".

Frente a esta pretensión de los conquistadores, de los oligarcas criollos, del imperialismo y sus amanuenses, ha ido forjándose nuestra genuina cultura —tomando este término en su amplia acepción histórica y antropológica—, la cultura gestada por el pueblo mestizo, esos descendientes de indios, de negros y de europeos que supieron capitanear Bolívar y Artigas; la cultura de las clases explotadas, la pequeña burguesía radical de José Martí, el campesinado pobre de Emiliano Zapata, la clase obrera de Luis Emilio Recabarren y Jesús Menéndez; la cultura de "las masas hambrientas de indios, de campesinos sin tierra, de obreros explotados" de que habla la *Segunda declaración de La Habana* (1962), "de los intelectuales honestos y brillantes que tanto abundan en nuestras sufridas tierras de América Latina", la cultura de ese pueblo que ahora integra "una familia de doscientos millones de hermanos" y "ha dicho: ¡Basta!, y ha echado a andar."

Esa cultura, como toda cultura viva, y más en sus albores, está en marcha; esa cultura tiene desde luego rasgos propios, aunque haya nacido —al igual que toda cultura, y esta vez de modo especialmente planetario— de una síntesis, y no se limita de ninguna manera a repetir los rasgos de los elementos que la compusieron. Esto es algo que ha sabido señalar, pese a que sus ojos estuvieran alguna vez en Europa más de lo que hubiéramos querido, el mexicano Alfonso Reyes. Al hablar él y otro latinoamericano de la nuestra como una cultura de síntesis,

"ni él ni yo [dice] fuimos interpretados por los colegas de Europa, quienes creyeron que nos referíamos al resumen o compendio elemental de las conquistas europeas. Según esta interpretación ligera, la síntesis sería un punto terminal. Y no: la síntesis es aquí un nuevo punto de partida, una estructura entre los elementos anteriores y dispersos, que —como toda estructura— es trascendente y contiene en sí novedades. H_2O no es sólo una junta de hidrógeno y oxígeno, sino que —además— es agua." [71]

Hecho especialmente visible si se toma en cuenta que esa agua partió no sólo de elementos europeos, que son los que enfatiza Reyes, sino también indígenas y africanos. Aun con sus limitaciones, Reyes es capaz de expresar, al concluir su trabajo: "y ahora yo digo ante el tribunal de pensadores internacionales que me escucha: reconocemos el derecho a la ciudadanía universal que ya hemos conquistado. Hemos alcanzado la mayoría de edad. Muy pronto os habituaréis a contar con nosotros".[72]

Estas palabras se decían en 1936. Hoy, ese "muy pronto" ha llegado ya. Si hubiera que señalar la fecha que separa la esperanza de Reyes de nuestra certidumbre —con lo difícil que suelen ser esos señalamientos—, yo indicaría 1959: llegada al poder de la Revolución cubana. Se podrían ir marcando algunas de las fechas que jalonan el advenimiento de esa cultura: las primeras son imprecisas, se refieren a combates de indígenas y revueltas de esclavos negros contra la opresión europea. En 1780, una fecha mayor: sublevación de Túpac Amaru en el Perú; en 1803, independencia de Haití; en 1810, inicio de los movimientos revolucionarios en varias de las colonias españolas de América, movimientos que van a extenderse hasta bien entrado el siglo; en 1867, victoria de Juárez sobre Maximiliano; en 1895, comienzo de la etapa final de la guerra de Cuba contra España —guerra que Martí previó también como una acción contra el naciente imperialismo yanqui—; en 1910, Revolución mexicana; en los años veinte y treinta de este siglo, resistencia en Nicaragua de Sandino y afianzamiento en el continente de la clase obrera como fuerza de vanguardia; en 1938, nacionalización del petróleo mexicano por Cárdenas; en 1944, llegada al poder de un régimen democrático en Guatemala, que se radicalizará en el gobierno; en 1946, inicio de la presidencia en la Argentina de Juan Domingo Perón, bajo la cual mostrarán su rostro los "descamisados"; en 1952, Revolución boliviana; en 1959, triunfo de la Revolución cubana; en 1961, Girón: primera derrota militar del imperialismo yanqui en América y proclamación del carácter marxista-leninista de nuestra Revolución; en 1967, caída del Che Guevara al frente de un naciente ejército latinoamericano en Bolivia; en 1970, llegada al gobierno, en Chile, del socialista Salvador Allende.

Fechas así, para una mirada superficial, podría parecer que no tienen relación muy directa con nuestra cultura. Y en realidad es todo lo contrario: nuestra cultura es —y sólo puede ser— hija de la revolución, de nuestro multisecular rechazo a todos los colonialismos; nuestra cultura, al igual que toda cultura, requiere como primera condición nuestra propia existencia. No puedo eximirme de citar, aunque lo he hecho ya en otras ocasiones, uno de los momentos en que Martí abordó este hecho de manera más sencilla y luminosa: "No hay letras, que son expresión", escribió en 1881, "hasta que no hay esencia que expresar en ellas. Ni habrá literatura hispanoamericana hasta que no haya Hispanoamérica". Y más adelante: "Lamentémonos ahora de que la gran obra nos falte, no porque nos falte ella, sino porque esa es señal de que nos falta aún el pueblo magno de que ha de ser reflejo".[73] La cultura latinoamericana, pues, ha sido posible, *en primer lugar*, por cuantos han hecho, por cuantos están haciendo que exista ese "pueblo magno" que en 1881 Martí llamaba todavía Hispanoamérica, y unos años después preferirá nombrar ya con el término más acertado de "Nuestra América".

Pero ésta no es, por supuesto, la única cultura forjada aquí. Hay también la cultura de la anti-América: la de los opresores, la de quienes trataron (o tratan) de imponer en estas tierras esquemas metropolitanos, o simplemente, mansamente, reproducen de modo provinciano lo que en otros países puede tener su razón de ser. En la mejor de las posibilidades, se trata, para repetir una cita, de la obra de "quienes han trabajado, en algunos casos patrióticamente, por configurar la vida social toda con arreglo a pautas de otros países altamente desarrollados, cuya forma se debe a un proceso orgánico a lo largo de los siglos", y que al proceder así, dijo Martínez Estrada, "han traicionado a la causa de la verdadera emancipación de la América Latina".[74]

Todavía es muy visible esa cultura de la anti-América. Todavía en estructuras, en obras, en efemérides se proclama y perpetúa esa otra cultura. Pero no hay duda de que está en agonía, como en agonía está el sistema en que se basa. Nosotros podemos y debemos contribuir a colocar en su verdadero sitio la historia del opresor y la del oprimido. Pero, por supuesto, el triunfo de esta última será sobre todo obra de aquellos para quienes la historia, antes que obra de letras, es obra de hechos. Ellos lograrán el triunfo definitivo de la América verdadera, restableciendo su unidad a nuestro inmenso continente, y esta vez a una luz del todo distinta: "Hispanoamérica, Latinoamérica, como se prefiera", escribió Mariátegui, "no encontrará su unidad en el orden burgués. Este orden nos divide, forzosamente, en pequeños nacionalismos. A Norteamérica sajona le toca coronar y cerrar la civilización capitalista. El porvenir de la América Latina es socialista."[75] Ese porvenir, que ya ha empezado, acabará por hacer incomprensible la ociosa pregunta sobre nuestra existencia.

Ariel, en el gran mito shakespereano que hemos seguido en estas notas, es, como se ha dicho, el intelectual [76] de la misma isla que Calibán: puede optar entre servir a Próspero —es el caso de los intelectuales de la anti-América—, con el que aparentemente se entiende de maravillas, pero de quien no pasa de ser un temeroso sirviente, o unirse a Calibán en su lucha por la verdadera libertad. Podría decirse, en lenguaje gramsciano, que pienso sobre todo en intelectuales "tradicionales", de los que, incluso en el periodo de transición, el proletariado necesita asimilarse el mayor número posible, mientras va generando sus propios intelectuales "orgánicos".

Es sabido, en efecto, que una parte más o menos importante de la intelectualidad al servicio de las clases explotadas suele provenir de las clases explotadoras, de las cuales se desvincula radicalmente. Es el caso, por lo demás clásico, de figuras cimeras como Marx, Engels y Lenin. Este hecho había sido observado ya en el propio *Manifiesto del Partido comunista* de 1848. Allí escribieron Marx y Engels:

"en los periodos en que la lucha de clases se acerca a su desenlace, el proceso de desintegración de la clase dominante, de toda la vieja sociedad, adquiere un carácter tan violento y tan patente, que una pequeña fracción de esa clase reniega de ella y se adhiere a la clase revolucionaria, a la clase en cuyas manos está el porvenir [...] Y así [...] en nuestros días un sector de la burguesía se pasa al proletariado, particularmente ese sector de los ideólogos burgueses que se ha elevado teóricamente hasta la comprensión del conjunto del movimiento histórico." [77]

Si esto es obviamente válido para las naciones capitalistas de más desarrollo —a las cuales tenían en mente Marx y Engels en su *Manifiesto*—, en el caso de nuestros países hay que añadir algo más. En ellos, "ese sector de los ideólogos burgueses" de que hablan Marx y Engels conoce un segundo grado de ruptura: salvo aquella zona que orgánicamente provenga de las clases explotadas, la intelectualidad que se considere revolucionaria [78] debe romper sus vínculos con la clase de origen (con frecuencia la pequeña burguesía), y *también debe* romper sus nexos *de dependencia* con la cultura metropolitana que le enseñó, sin embargo, el lenguaje, el aparato conceptual y técnico. Ese lenguaje, en la terminología shakespereana, le servirá para maldecir a Próspero. Fue el caso de José María Heredia, exclamando, en el mejor español del primer tercio del siglo XIX: "Aunque viles traidores le sirvan, / del tirano es inútil la saña, / que no en vano entre Cuba y España / tiende inmenso sus olas el mar." O el de José Martí, al cabo de quince años de estancia en los Estados Unidos —estancia que le permitirá familiarizarse plenamente con la modernidad, y también detectar desde su seno el surgimiento del imperialismo norteamericano—: "Viví en el monstruo, y le conozco las entrañas: y mi honda es la de David." Aunque preveo que a algunos oídos la sugerencia de que Martí y Heredia anduvieran maldiciendo les sonará feo, quiero recordarles que "tirano", "viles traidores" y "monstruo", tienen algo que ver con maldiciones. Shakespeare y la realidad parecen tener razón contra ellos. Y Heredia y Martí no son sino ejemplos arquetípicos. Ultimamente, no han faltado tampoco los que han atribuido a deformaciones de nuestra Revolución —Calibán, no lo olvidemos, es visto siempre como deforme por el ojo hostil— la violencia volcánica de algunos discursos recientes de Fidel, como el que pronunciara en el Primer Congreso nacional de educación y cultura. El que algunos de esos sobresaltados hubieran hecho el elogio de Fanon —otros, posiblemente, ni habían oído hablar de él, ya que guardan con la política, como dijo Rodolfo Walsh, la misma relación que con la astrofísica—, y ahora atribuyan a deformación o a influencia foránea una actitud que está en la raíz misma de nuestro ser histórico, puede ser prueba de varias cosas. Entre ellas, de total incoherencia. También de desconocimiento —cuando no de desprecio— de nuestras realidades concretas, tanto en el presente como en el pasado. Lo cual, por cierto, no los autoriza para tener mucho que ver con nuestro porvenir.

La situación y las tareas de ese intelectual al servicio de las clases explotadas no son por supuesto las mismas cuando se trata de países en los que aún no ha triunfado la revolución, que cuando se trata de países en los que ya se desarrolla tal revolución. Por otra parte, ya he recordado que el término "intelectual" es lo bastante amplio como para hacer inútil forzar la mano con simplificación alguna. Intelectual será un teórico y dirigente —como Mariátegui o Mella—, un investigador —como Fernando Ortiz—, un escritor —como César Vallejo—. En todos esos casos, sus ejemplos concretos nos dicen más que cualquier generalización vaga. Para planteos muy recientes, relativos al escritor, véanse ensayos como "Las prioridades del escritor", de Mario Benedetti.[79]

La situación, como dije, no es igual en los países en que las masas populares latinoamericanas han llegado al fin al poder y han desencadenado una revolución socialista. El caso entusiasmante de Chile es demasiado inmediato para poder extraer de él conclusiones. Pero la Revolución socialista cubana tiene más de doce años de vida, y a estas alturas ya pueden señalarse algunos hechos: aunque, por la naturaleza de este trabajo, aquí no me propongo sino mencionar rasgos muy salientes.

Esta revolución, en su práctica y en su teoría, habiendo sido absolutamente fiel a la más exigente tradición popular latinoamericana, ha satisfecho en plenitud la aspiración de Mariátegui: "no queremos, ciertamente, que el socialismo sea en América calco y copia. Debe ser creación heroica. Tenemos que dar vida, con nuestra propia realidad, en nuestro propio lenguaje, al socialismo indo-americano".[80]

Por eso no puede entenderse nuestra Revolución si se ignoran "nuestra propia realidad", "nuestro propio lenguaje", y a ellos me he referido largamente. Pero el imprescindible orgullo de haber heredado lo mejor de la historia latinoamericana, de pelear al frente de una vasta familia de doscientos millones de hermanos, no puede hacernos olvidar que, por eso mismo, formamos parte de otra vanguardia aún mayor, de una vanguardia planetaria: la de los países socialistas que ya van apareciendo en todos los continentes. Eso quiere decir que nuestra herencia es también la herencia mundial del socialismo, y que la asumimos como el capítulo más hermoso, más gigantesco, más batallador en la historia de la humanidad. Sentimos como plenamente nuestro el pasado del socialismo, desde los sueños de los socialistas utópicos hasta el apasionado rigor científico de Marx ("aquel alemán de alma sedosa y mano férrea" que dijo Martí) y Engels; desde el intento heroico de la Comuna de París hace un siglo hasta el deslumbrante triunfo de la Revolución de Octubre y la lección imperecedera de Lenin; desde el establecimiento de nuevos regímenes socialistas en Europa a raíz de la derrota del fascismo en la Segunda guerra mundial, hasta el éxito de las revoluciones socialistas en países asiáticos "subdesarrollados". Al decir que asumimos esta magnífica herencia —herencia que además aspiramos a enriquecer con nuestros aportes—, no podemos olvidar que ella incluye, naturalmente, momentos luminosos y también momentos difíciles, aciertos y errores. ¡Cómo podríamos olvidarlo, si al *hacer* la historia *nuestra* (operación que nada tiene que ver con *leer* la historia de *otros),* nosotros también tenemos aciertos y errores, como los han tenido y tendrán todos los movimientos históricos *reales*!

Este hecho elemental es constantemente recordado no sólo por nuestros enemigos abiertos, sino incluso por algunos supuestos amigos que lo único que parecen objetarle en el fondo al socialismo es que exista, lleno de grandeza, pero también de dificultades, con lo impecable que se ve en los libros este cisne escrito. Y no podemos dejar de preguntarnos: ¿por qué debemos estar dando explicaciones sobre los problemas que confrontamos al construir *realmente* el socialismo a esos supuestos amigos, quienes, por su parte, se las arreglan con su conciencia permaneciendo integrados a sociedades explotadoras —y, en algunos casos, abandonando incluso nuestros países neocoloniales para demandar, con el sombrero entre las manos, un sitio en las propias sociedades explotadoras—? No: no hay por qué dar explicación alguna a personas así, a quienes, de ser honestas, debía preocupar el coincidir en tantos puntos con nuestros enemigos. La manera superficial con que algunos intelectuales que se dicen de izquierda (y a quienes, sin embargo, las masas populares parecen importar un bledo) se lanzan sin pudor a repetir al pie de la letra los criterios que sobre el mundo socialista propone y divulga el capitalismo, sólo muestra que aquellos intelectuales no han roto con él tan radicalmente como acaso quisieran. La natural consecuencia de esta actitud es que, so capa de rechazar errores —en lo que es fácil poner de acuerdo a tirios y troyanos—, se rechace también, como de pasada, al socialismo todo, arbitrariamente reducido a tales errores; o se deforme y generalice alguna concreta coyuntura histórica y, sacándola de sus casillas, se pretenda aplicar a otras coyunturas que tienen *sus propios caracteres, sus propias virtudes y sus propios errores.* Esto es algo que en lo tocante a Cuba hemos aprendido, como tantas cosas, en carne propia.

Durante estos doce años, en busca de soluciones originales y sobre todo *genuinas* a nuestros problemas, ha habido una amplia discusión sobre cuestiones culturales en Cuba. En la revista *Casa de las Américas* se han publicado materiales de esta discusión: pienso especialmente en la mesa redonda que un grupo de compañeros realizamos en 1969.[81]

Tampoco, por supuesto, han sido remisos los propios dirigentes de la Revolución a expresar sus opiniones sobre estos hechos. Aunque, como dijo Fidel en 1961, "no tuvimos nuestra conferencia de Yenán"[82] antes del triunfo de la Revolución, después de ese triunfo no ha dejado de haber discusiones, encuentros, congresos en que abordaban estas cuestiones. Me limitaré a recordar algunos de los muchos textos de Fidel y el Che: en el caso de Fidel, su discurso en la Biblioteca Nacional el 30 de junio de 1961, que se publicó ese año —y así ha seguido siendo conocido— con el nombre *Palabras a los intelectuales*; su discurso del 13 de marzo de 1969, en que planteó la universalización de la Universidad, y al que nos referimos varias veces en nuestra mesa redonda de 1969 y, por último, su intervención en el reciente Congreso de educación y cultura, que se publicó, junto con la Declaración del Congreso, en el número 65-66 de *Casa de las Américas*. No son ni de lejos, naturalmente, las únicas veces en que Fidel ha abordado problemas culturales; pero creo que dan idea suficiente de los criterios de la Revolución cubana en este orden.

Aunque han transcurrido diez años entre el primero de estos discursos —que estoy seguro que apenas ha sido leído por muchos de sus comentaristas, quienes se limitan a citar alguna que otra frase fuera de contexto— y el último, la lectura *real* de ambos lo que demuestra sobre todo, a diez años de distancia, es su coherencia. En 1971, Fidel dijo sobre las obras literarias y artísticas:

"nosotros, un pueblo revolucionario, valoramos las creaciones culturales y artísticas en función de lo que aporten al hombre, en función de lo que aporten a la reivindicación del hombre, a la liberación del hombre, a la felicidad del hombre. // Nuestra valoración es política. No puede haber valor estético sin contenido humano. No puede haber valor estético contra el hombre. No puede haber valor estético contra la justicia, contra el bienestar, contra la felicidad del hombre. ¡No puede haberlo!"

En 1961, había dicho:

"Es precisamente el hombre, el semejante, la redención de sus semejantes, lo que constituye el objetivo de los revolucionarios. Si a los revolucionarios nos preguntan qué es lo que más nos importa, nosotros diremos: el pueblo y siempre el pueblo. El pueblo en su sentido real, es decir, esa mayoría del pueblo que ha tenido que vivir en la explotación y en el olvido más cruel. Nuestra preocupación fundamental serán siempre las grandes mayorías del pueblo, es decir, las clases oprimidas y explotadas del pueblo. El prisma a través del cual lo miramos todo, es ése: para nosotros será bueno lo que sea bueno para ellas; para nosotros será noble, será bello y será útil, todo lo que sea noble, sea bello y sea útil para ellas."

La misma frase de 1961 que tanto se ha citado fuera de contexto, hay que reintegrarla a éste para que adquiera todo su sentido:

"dentro de la Revolución, todo; contra la Revolución, nada. Contra la Revolución nada, porque la Revolución tiene también sus derechos, y el primer derecho de la Revolución es el derecho de la Revolución de ser y de existir. Nadie, por cuanto la Revolución comprende los intereses del pueblo, por cuanto la Revolución significa los intereses de la nación entera, nadie puede alegar un derecho contra ella."

Coherencia no quiere decir repetición. Que aquel discurso de 1961 y éste de 1971 sean congruentes, no significa que los diez años hayan transcurrido en vano. Al principio de sus *Palabras a los intelectuales,* había recordado Fidel que la revolución económica y social que estaba teniendo lugar en Cuba tenía que producir inevitablemente, a su vez, una revolución en la cultura de nuestro país. A esa transformación que sería producida inevitablemente por la revolución económica y social, y que ya anunció en 1961, corresponden, entre otras, las decisiones proclamadas en el discurso del 13 de marzo de 1969, sobre la universalización de la universidad, y en el discurso del Primer congreso nacional de educación y cultura, en 1971. Durante esos diez años se ha ido produciendo una ininterrumpida radicalización de la Revolución que implica una creciente participación de las masas en el destino del país. Si a la reforma agraria de 1959 seguirá una revolución agraria, a la campaña de alfabetización seguirá la de seguimiento, y luego se anunciará una universalización de la universidad que supone ya la conquista por las masas de los predios de la llamada alta cultura; mientras, paralelamente, el proceso de democratización sindical hace sentir el indetenible crecimiento en la vida del país del papel de la clase obrera.

En 1961 no hubiera podido ser así todavía:

ese año se estaba realizando apenas la campaña de alfabetización: se estaban echando las bases de una cultura realmente nueva. Hoy, 1971, se ha dado un salto en el desarrollo de esa cultura; un salto que, por otra parte, ya había sido previsto en 1961, e implica tareas de inevitable cumplimiento por cualquier revolución que se diga socialista: la extensión de la educación a todo el pueblo, su asentamiento sobre bases revolucionarias, la construcción y afianzamiento de una cultura nueva, socialista.

Para comprender mejor tanto las metas como los caracteres específicos de *nuestra* transformación cultural en marcha, es útil confrontarla con procesos similares en otros países socialistas. El hacer que todo un pueblo que vivió explotado y analfabeto acceda a los más altos niveles del saber y de la creación, es uno de los pasos más hermosos de una revolución.

Las cuestiones culturales ocuparon también buena parte de la meditación de Ernesto Che Guevara. Es suficientemente conocido su trabajo *El socialismo y el hombre en Cuba* como para que sea necesario glosarlo aquí. Baste con sugerir al lector, eso sí, que no proceda como algunos que lo toman por separado, reteniendo, por ejemplo, su censura a cierta concepción del realismo socialista,[83] pero no su censura al arte decadente del capitalismo actual y su prolongación en nuestra sociedad; o viceversa. U olvidan cómo previó con pasmosa claridad algunos problemas de nuestra vida artística en términos que, al ser retomados por plumas menos prestigiosas que la suya, producirían objeciones que no se atrevieron a hacerle al propio Che.

Por ser mucho menos conocido que *El socialismo y el hombre en Cuba,* quisiera terminar citando con alguna extensión el final de un discurso que el Che pronunciara en la Universidad de Las Villas, el 28 de diciembre de 1959, es decir, al comienzo mismo de nuestra Revolución. La Universidad le había otorgado al Che el título de profesor *honoris causa* de la Facultad de Pedagogía, y el Che debía agradecer en ese discurso la distinción. Lo hizo. Pero lo que sobre todo hizo fue proponerle a la Universidad, a sus profesores y alumnos, una transformación que requerían —que requeríamos— todos para poder ser considerados verdaderamente revolucionarios, verdaderamente útiles:

"No se me ocurriría a mí [dijo entonces el Che] exigir que los señores profesores o los señores alumnos actuales de la Universidad de Las Villas realizaran el milagro de hacer que las masas obreras y campesinas ingresaran en la Universidad. Se necesita un largo camino, un proceso que todos ustedes han vivido, de largos años de estudios preparatorios. Lo que sí pretendo, amparado en esta pequeña historia de revolucionario y de comandante rebelde, es que comprendan los estudiantes de hoy de la Universidad de Las Villas que el estudio no es patrimonio de nadie, y que la casa de estudios donde ustedes realizan sus tareas no es patrimonio de nadie, pertenece al pueblo entero de Cuba, y al pueblo se la darán o el pueblo la tomará. Y quisiera, porque inicié todo este ciclo en vaivenes de mi carrera como universitario, como miembro de la clase media, como médico que tenía los mismos horizontes, las mismas aspiraciones de la juventud que tendrán ustedes, y porque he cambiado en el curso de la lucha, y porque me he convencido de la necesidad imperiosa de la Revolución y de la justicia inmensa de la causa del pueblo, por eso quisiera que ustedes, hoy dueños de la Universidad, se la dieran al pueblo. No lo digo como amenaza para que mañana no se la tomen, no; lo digo simplemente porque sería un ejemplo más de los tantos bellos ejemplos que se están dando en Cuba, que los dueños de la Universidad Central de Las Villas, los estudiantes, la dieran al pueblo a través de su Gobierno Revolucionario. Y a los señores profesores, mis colegas, tengo que decirles algo parecido: hay que pintarse de negro, de mulato, de obrero y de campesino; hay que bajar al pueblo, hay que vibrar con el pueblo, es decir, las necesidades todas de Cuba entera. Cuando esto se logre, nadie habrá perdido, todos habremos ganado y Cuba podrá seguir su marcha hacia el futuro con un paso más vigoroso, y no tendrán necesidad de incluir en su claustro a este médico, comandante, presidente de Banco y hoy profesor de pedagogía que se despide de todos." [84]

[6] Miguel de Montaigne: *Ensayos,* trad. de C. Román y Salamero, tomo I, Buenos Aires, 1948, p. 248.

[7] Loc. cit.

[8] William Shakespeare: *Obras completas,* traducción, estudio preliminar y notas de Luis Astrana Marín, Madrid, 1961, p. 107-8.

[9] Así, por ejemplo, Jan Kott nos advierte que hasta el siglo XIX "hubo varios sabios shakespearólogos que intentaron leer *La tempestad* como una biografía en el sentido literal, o como un alegórico drama político". (Jan Kott: *Apuntes sobre Shakespeare,* trad. de J. Maurizio, Barcelona, 1969, p. 353.)

[10] Ernest Renan: *Caliban, suite de* La tempête. *Drame philosophique,* París, 1878.

[11] V. Arthur Adamov: *La Commune de Paris (8 mars-28 mars 1871),* anthologie, París, 1959; y especialmente Paul Lidsky: *Les écrivains contre la Commune,* París, 1970.

[12] Paul Lidsky: *op. cit.*, p. 82.

[13] Cit. por Aimé Césaire en: *Discours sur le colonialisme,* 3a. ed., París, 1955, p. 13. Es notable esta requisitoria, muchos de cuyos postulados hago míos. (Trad. parcialmente en *Casa de las Américas* n. 36-37, mayo-agosto de 1966 [Este número está dedicado a *Africa en América*].)

[14] Cit. en *op. cit.*, p. 14-5.

[15] v. R.F.R.: "Modernismo, noventiocho, subdesarrollo", trabajo leído en el III Congreso de la Asociación internacional de hispanistas, México, agosto de 1968, y recogido en *Ensayo de otro mundo* [2a. ed.], Santiago de Chile, 1969.

[16] Cit. en José Enrique Rodó: *Obras completas,* edición con introducción, prólogo y notas por Emir Rodríguez Monegal, Madrid, 1957, p. 193.

Es decir, el Che le propuso a la "universidad europea", como hubiera dicho Martí, que cediera ante la "universidad americana"; le propuso a Ariel, con su propio ejemplo luminoso y aéreo si los ha habido, que pidiera a Calibán el privilegio de un puesto en sus filas revueltas y gloriosas.

La Habana, 7-20 de junio de 1971

Notas

[1] Cf. Yves Lacoste: *Les pays sousdeveloppés,* París, 1959, esp. p. 82-84. Una tipología sugestiva y polémica de los países extraeuropeos la ofrece Darcy Ribeiro en *Las Américas y la civilización,* trad. de R. Pi Hugarte, Buenos Aires, 1969, tomo I, p. 112-28.

[2] Un resumen sueco de lo que se sabe sobre esta materia se encontrará en el estudio de Magnus Mörner *La mezcla de razas en la historia de América Latina,* trad., revisada por el autor, de Jorge Piatigorsky, Buenos Aires, 1969. Allí se reconoce que "ninguna parte del mundo ha presenciado un cruzamiento de razas tan gigantesco como el que ha estado ocurriendo en América Latina y en el Caribe [¿por qué esta división?] desde 1492", p. 15. Por supuesto, lo que me interesa en estas notas no es el irrelevante hecho biológico de las "razas", sino el hecho histórico de las "culturas".

[3] Cit., como las otras menciones del *Diario* que siguen, por Julio C. Salas: *Etnografía americana. Los indios caribes. Estudio sobre el origen del mito de la antropofagia,* Madrid, 1920. En este libro se plantea "lo irracional de [la] inculpación de que algunas tribus americanas se alimentaban de carne humana, como en lo antiguo lo sostuvieron los que estaban interesados en esclavizar [a] los indios y lo repitieron los cronistas e historiadores, de los cuales muchos fueron esclavistas..." (p. 211).

[4] *La carta de Colón anunciando el descubrimiento del nuevo mundo. 15 de febrero - 14 de marzo 1473,* Madrid, 1956, p. 20.

[5] Ezequiel Martínez Estrada: "El Nuevo Mundo, la isla de Utopía y la isla de Cuba", en *Casa de las Américas,* n. 33, noviembre-diciembre de 1965. (Este número es un *Homenaje a Ezequiel Martínez Estrada.)*

[17] v. Jean Franco: *The modern culture of Latin America: society and the artist,* Londres, 1967, p. 49.

[18] José Vasconcelos: *Indología,* 2a. ed., Barcelona, s.f., p. XXIII.

[19] Mario Benedetti: *Genio y figura de José Enrique Rodó,* Buenos Aires, 1966, p. 95.

[20] La visión aguda pero negativa hace que Jan Kott se irrite por este hecho: "Para Renan", dice, "Calibán personifica al Demos. En la continuación [...] su Calibán lleva a cabo con éxito un atentado contra Próspero. Guéhenno escribió una apología de Calibán-Pueblo. Ambas interpretaciones son triviales. El Calibán shakespeariano tiene más grandeza." *(Op. cit.,* p. 398.)

[21] La endeblez de Guéhenno para abordar a fondo este tema se pone de manifiesto en los prefacios en que, en las sucesivas ediciones, va desdiciéndose (2a. ed., 1945; 3a. ed., 1962), hasta llegar a su libro de ensayos *Calibán y Próspero,* (París, 1969), donde, al decir de un crítico, convertido Guéhenno en "personaje de la sociedad burguesa y un beneficiario de su cultura", juzga a Próspero "más equitativamente que en tiempos de *Calibán habla*". (Pierre Henri Simon en *Le Monde,* 5 de julio de 1969.)

[22] Michael Lowy: *La pensée de Che Guevara,* París, 1970, p. 19.

[23] Aníbal Ponce: *Humanismo burgués y humanismo proletario,* La Habana, 1962, p. 83.

[24] J. L. Zimmerman: *Países pobres, países ricos. La brecha que se ensancha,* trad. de F. González Aramburo, México, D. F., 1966, p. 7.

[25] O. Mannoni: *Psychologie de la colonisation.* París, 1950, p. 71., cit. por Frantz Fanon en: *Peau noire, masques blancs* [2a. ed.], París [c. 1965], p. 106.

[26] George Lamming: *The pleasures of exile,* Londres,

1960, p. 109. Al comentar estas opiniones de Lamming, el alemán Janheinz Jahn observa sus limitaciones y propone una identificación Calibán/negritud. (*Neoafrican literature,* trad, de 0. Coburn y U. Lehrburger, Nueva York, 1968, p. 239-42.)

[27] John Wain: *El mundo vivo de Shakespeare,* trad. de J. Silés, Madrid, 1967, p. 258-9.

[28] Aimé Césaire: *Une tempête. Adaptation de "La tempête" de Shakespeare pour un théâtre nègre,* París, 1969; Edward Brathwaite: *Islands,* Londres, 1969; R.F.R.: "Cuba hasta Fidel" (en *Bohemia,* 19 de septiembre de 1969).

[29] La nueva lectura de *La tempestad* ha pasado a ser ya la habitual en el mundo colonial de nuestros días. No intento, por tanto, sino mencionar algunos ejemplos. Ya concluidas estas notas, encuentro uno nuevo en el ensayo de James Nggui (de Kenia) "Africa y la descolonización cultural", en *El Correo,* enero de 1971.

[30] "Es abusivo", ha dicho Benedetti, "confrontar a Rodó con estructuras, planteamientos, ideologías actuales. Su tiempo es otro que el nuestro [...] su verdadero hogar, su verdadera patria temporal, era el siglo XIX." (*Op. cit.,* p. 128.)

[31] *Op. cit.,* p. 109. Un énfasis aún mayor en la vigencia actual de Rodó se encontrará en el libro de Arturo Ardao, *Rodó. Su americanismo* (Montevideo, 1970), que incluye una excelente antología del autor de *Ariel.* En cambio, ya en 1928, José Carlos Mariátegui, después de recordar con razón que "a Norte América capitalista, plutocrática, imperialista, sólo es posible oponer eficazmente una América, latina o ibera, socialista", añade: "El mito de Rodó no obra ya —no ha obrado nunca— útil y fecundamente sobre las almas." J.C.M.: "Aniversario y balance" (1928), en *Ideología y política,* Lima, 1969, p. 248.

[32] En *Hombres de la Revolución. Julio Antonio Mella,* La Habana, 1971, p. 12.

[33] *Op. cit.,* p. 15.

[34] v. Erasmo Dumpierre: *Mella,* La Habana [c. 1965], p. 145; y también José Antonio Portuondo: "Mella y los intelectuales" (1963), en *Crítica de la época,* La Habana, 1965, p. 98.

[35] Emir Rodríguez Monegal: en Rodó: *op. cit.,* p. 192 y 193. El subrayado es mío. R.F.R.

[36] Medardo Vitier: *Del ensayo americano,* México, 1945, p. 117.

[37] Fidel Castro: Discurso del 19 de abril de 1971.

[38] Jan Kott: *op. cit.,* p. 377.

[39] v. Ezequiel Martínez Estrada: "Por una alta cultura popular y socialista cubana" (1962), en *En Cuba y al servicio de la Revolución cubana,* La Habana, 1963; R.F.R.: "Martí en su [tercer] mundo" (1964), en *Ensayo de otro mundo,* cit.: Noël Salomon: "José Martí et la prise de conscience latino-américaine", en *Cuba Sí,* n. 35-36, 4to. trimestre 1970, 1er. trimestre, 1971; Leonardo Acosta: "La concepción histórica de Martí", en *Casa de las Américas,* n. 67, julio-agosto de 1971.

[40] José Enrique Rodó: *op. cit.,* p. 1359 y 1375.

[41] Pedro Henríquez Ureña: *Obra crítica,* México, 1960, p. 37.

[41] bis El investigador Iván Schulman ha descubierto que fue publicado antes, el 10 de enero de 1891, en *La Revista Ilustrada de Nueva York.* (I.S.: *Martí, Casal y el modernismo,* La Habana, 1969, p. 92.)

[42] Manuel Pedro González: "Evolución de la estimativa martiana", en *Antología crítica de José Martí,*

recopilación, introducción y notas de M.P.G., México, 1960, p. XXIX.

[43] No se entienda por esto, desde luego, que sugiero dejar de conocer a los autores que no hayan nacido en las colonias. Tal estupidez es insostenible. ¿Cómo podríamos postular prescindir de Homero, de Dante, de Cervantes, de Shakespeare, de Whitman —para no decir Marx, Engels o Lenin—? ¿Cómo olvidar incluso que en nuestros propios días hay pensadores *de la América Latina* que no han nacido aquí? Y en fin, ¿cómo propugnar robinsonismo intelectual alguno sin caer en el mayor absurdo?

[44] José Martí: "Autores americanos aborígenes" (1884), en *Obras completas,* VIII, 336-7.

[45] A Tamanaco dedicó además un hermoso poema: "Tamanaco de plumas coronado", en *O.C.*, XVII, 237.

[46] José Martí: "Fragmentos" [1885-951], en *O.C.*, XXII, 27.

[47] v., por ejemplo, "Mi raza", en *O.C.*, II, 298-300. Allí se lee:

"El hombre no tiene ningún derecho especial porque pertenezca a una raza u otra: dígase hombre, y ya se dicen todos los derechos [...] Si se dice que en el negro no hay culpa aborigen, ni virus que lo inhabilite para desenvolver toda su vida de hombre, se dice la verdad [...], y si a esa defensa de la naturaleza se la llama racismo, no importa que se la llame así; porque no es más que decoro natural, y voz que clama del pecho del hombre por la paz y la vida del país. Si se alega que la condición de esclavitud no acusa inferioridad en la raza esclava, puesto que los galos blancos de ojos azules y cabellos de oro, se vendieron como siervos, con la argolla al cuello, en los mercados de Roma, eso es racismo bueno, porque es pura justicia, y ayuda a quitar prejuicios al blanco ignorante. Pero ahí acaba el racismo justo."

Y más adelante: "hombre es más que blanco, más que mulato, más que negro. Cubano es más que blanco, más que mulato, más que negro". Algunas de estas cuestiones se abordan en el trabajo de Juliette Oullion "La discriminación racial en los Estados Unidos vista por José Martí", en *Anuario martiano,* n. 3, La Habana, 1971.

[48] v. el número 36-37 de *Casa de las Américas,* mayo-agosto de 1966, dedicado a *Africa en América.*

[49] Me refiero al diálogo en el interior de la América Latina. La opinión miserable que América le mereciera a Europa puede seguirse con algún detalle en el vasto libro de Antonello Gerbi *La disputa del Nuevo Mundo. Historia de una polémica 1750-1900,* trad. de Antonio Alatorre, México, 1960, *passim.*

[50] José Martí: "Una distribución de diplomas en un colegio de los Estados Unidos" (1883), en *O.C.*, VIII, 442.

[51] R.F.R.: *Ensayo de otro mundo,* cit., p. 15.

[52] "Sarmiento, el verdadero fundador de la República Argentina", dice de él, por ejemplo, en carta de 7 de abril de 1887 a Fermín Valdés Domínguez, a raíz de un cálido elogio literario que le hiciera públicamente el argentino. *(O.C.,* XX, 325.) Sin embargo, es significativo que Martí, tan atento siempre a los valores latinoamericanos, *no publicara un solo trabajo sobre Sarmiento,* ni siquiera a raíz de su muerte en 1888. Es difícil no relacionar esta ausencia con el reiterado criterio martiano de que para él callar era su manera de censurar.

[53] Ezequiel Martínez Estrada: "El colonialismo como realidad", en *Casa de las Américas,* n. 33, noviembre-diciembre de 1965, p. 85. Estas páginas aparecieron originalmente en su libro *Diferencias y semejanzas entre los países de la América Latina* (México, 1962), y fueron escritas en aquel país en 1960, es decir, después del triunfo de la Revolución cubana, que

llevó a Martínez Estrada a considerables replanteos. Véase, por ejemplo, su "Retrato de Sarmiento", conferencia en la Biblioteca Nacional de Cuba el 8 de diciembre de 1961, donde dijo: "Si se hace un examen riguroso e imparcial de la actuación política de Sarmiento en el gobierno, efectivamente se comprueba que muchos de los vicios que ha tenido la política oligárquica argentina fueron introducidos por él"; y también: "El despreciaba al pueblo, despreciaba al pueblo ignorante, al pueblo mal vestido, desaseado, sin comprender que éste es el pueblo americano." (*Revista de la Biblioteca Nacional*, julio-septiembre, 1965, p. 14 y 16.)

[54] Jaime Alazraki: "El indigenismo de Martí y el antindigenismo de Sarmiento", en *Cuadernos Americanos,* mayo-junio de 1965. Los términos de este ensayo —y casi las mismas citas— reaparecen en el trabajo de Antonio Sacoto "El indio en la obra literaria de Sarmiento y Martí", en *Cuadernos Americanos,* enero-febrero de 1968.

[55] José Martí: "La verdad sobre los Estados Unidos", en *Páginas escogidas,* selección y prólogo de R.F.R. [3a. ed.], tomo I, La Habana, 1971, p. 392.

[56] *Op. cit.,* p. 149.

[57] Domingo Faustino Sarmiento: *Obras completas,* Santiago de Chile-Buenos Aires, 1885-1902, tomo XLVI, *Páginas literarias,* p. 166-73.

[58] Jorge Luis Borges: *El tamaño de mi esperanza,* Buenos Aires, 1926, p. 5.

[59] *Op. cit.,* p. 6.

[60] Sobre la evolución ideológica de Borges, en relación con la actitud de su clase, v.: Eduardo López Morales: "Encuentro con un destino sudamericano", en *Recopilación de textos sobre los vanguardismos en la América Latina,* prólogo y materiales seleccionados por Oscar Collazos, La Habana, 1970, v. tam-

bién un enfoque marxista de este autor en: Jaime Mejía Duque: "De nuevo Jorge Luis Borges", en *Literatura y realidad,* Medellín, 1969.

[61] Jorge Luis Borges: "El escritor argentino y la tradición", en *Sur,* n. 232, enero-febrero de 1955, p. 7.

[62] José Carlos Mariátegui: "Aniversario y balance", en *Ideología y política,* Lima, 1969, p. 248.

[63] Jean-Jacques Servan-Schreiber: *El desafío americano,* La Habana, 1968, p. 41.

[64] Carlos Fuentes: *La muerte de Artemio Cruz,* México, 1962, p. 27.

[65] Hoy nadie ha retenido aquel manifiesto; en cambio, sí el artículo en que Ezequiel Martínez Estrada lo contestó: su "Réplica a una declaración intemperante", en *En Cuba y al servicio de la Revolución cubana,* La Habana, 1963.

[66] Me he detenido algo más en este punto en el ensayo "Intercomunicación latinoamericana y nueva literatura" (1969), en volumen colectivo sobre la actual literatura latinoamericana que la UNESCO publicará.

[67] Tzvetan Todorov: "Formalistes et futuristes", en *Tel Quel,* n. 30, otoño de 1968, p. 43.

[68] Carlos-Peregrín Otero: *Introducción a la lingüística transformacional,* México, 1970, p. 7.

[69] Sigue teniendo vigencia el análisis que de esta publicación hiciera Ambrosio Fornet: "*New World* en español", en *Casa de las Américas,* n. 40, enero-febrero de 1967.

[70] Vilfredo Pareto: *Tratado de sociología general,* v. II cit. por José Carlos Mariátegui en *Ideología y política,* cit., p. 24.

[71] Alfonso Reyes: "Notas sobre la inteligencia ame-

ricana", en *Obras completas,* tomo XI, México, 1960, p. 88, n.

[72] *Op. cit.*, p. 90.

[73] José Martí: "Cuaderno de apuntes, 5" (1881), en *O.C.*, XXI, 164.

[74] Ezequiel Martínez Estrada: "El colonialismo como realidad", cit. en la nota 53.

[75] José Carlos Mariátegui: cit. en *Siete ensayos de interpretación de la realidad peruana,* La Habana, 1963, p. XII.

[76] "Intelectual" en el sentido lato del término, tal como lo emplea Gramsci en sus clásicas páginas sobre el tema, que suscribo plenamente. Por suficientemente conocidas no considero necesario glosarlas aquí: v. Antonio Gramsci: *Los intelectuales y la organización de la cultura* (1930), trad. de Raúl Sciarreta, Buenos Aires, 1960. Con este sentido amplio se usó ya la palabra entre nosotros en el Seminario preparatorio del Congreso cultural de La Habana (1967), y últimamente Fidel ha vuelto sobre el tema, en su discurso en el Primer congreso nacional de educación y cultura, al rechazar que la denominación sea usufructuada sólo por un pequeño grupo de "hechiceros", el cual "ha monopolizado el título de intelectuales", pretendiendo dejar fuera de él a "los maestros, los ingenieros, los técnicos, los investigadores..."

[77] Carlos Marx y Federico Engels: *Manifiesto del Partido comunista,* en *Obras escogidas en dos tomos,* Moscú, s.f., tomo I, p. 32.

[78] Y hay que recordar que hace más de cuarenta años que Mariátegui escribió: "éste es un instante de nuestra historia en que no es posible ser efectivamente nacionalista y revolucionario sin ser socialista". (J.C.M.: *Siete ensayos,* cit., p. 26, n.)

[79] Mario Benedetti: "Las prioridades del escritor", en *Casa de las Américas,* n. 68, septiembre-octubre de 1971.

[80] José Carlos Mariátegui: "Aniversario y balance", cit., p. 249.

[81] Varios: "Diez años de revolución: el intelectual y la sociedad", en *Casa de las Américas,* n. 56, septiembre-octubre de 1969. (Se publicó también con el título *El intelectual y la sociedad,* en México, 1969.)

[82] Fidel Castro: *Palabras a los intelectuales,* La Habana, 1961, p. 5.

[83] Cierta concepción estrecha del realismo socialista —que el Che rechaza en este texto al mismo tiempo que rechaza la falsa vanguardia que se atribuye hoy el arte capitalista y su influencia negativa entre nosotros—, no ha causado estragos en nuestro arte, como dijo el Che, pero sí los ha causado el temor extemporáneo a esa concepción, en un proceso que ha descrito bien Ambrosio Fornet:

"Durante diez años [escribió], los novelistas cubanos sortearon hábilmente los peligros de una épica que podía llevarlos al esquematismo y la parálisis. En cambio, la mayor parte de sus obras, tanto en su contenido como en su forma, acusan un aire de timidez del que se libraron, por ejemplo, el cine documental y la poesía (y del que quizás se libre la cuentística) [...] si la nueva narrativa, en el clima de libertad artística en que creció, hubiera atravesado por un período épico, de exaltación ingenua de la realidad, quizás habría descubierto al menos un *tono* propio, que le hubiera exigido nuevas formas, y hoy podríamos hablar —es un decir— del vanguardismo épico de la narrativa cubana. / / [...] El riesgo debía asumirse *a partir* de una caída y no tratando de evitarla, porque el hecho de que no se cayera en el panfleto no garantizaba que no se cayera en el mimetismo y la mediocridad." [A. F.: "A propósito de Sacchario", en *Casa de las Américas,* n. 64 enero-febrero de 1971.]

[84] Ernesto Che Guevara: "Que la Universidad se pinte de negro, de mulato, de obrero, de campesino", en *Obras* 1957-1967, La Habana, 1970, tomo II, p. 37-8.

INDICE

Una pregunta 7

Para la historia de Calibán 12

Nuestro símbolo 30

Otra vez Martí 36

Vida verdadera de un dilema falso 46

Del Mundo Libre 55

El porvenir empezado 76

¿Y Ariel, ahora? 82

Notas 97

Calibán, de Roberto Fernández Retamar, se terminó de imprimir el 16 de junio de 1974 en los talleres de Manuel Quesada Brandi Editor, S. A. Privada de Chipitlán 38, Cuernavaca, Morelos. Se tiraron 3 000 ejemplares más sobrantes para reposición.
Portada de Antonio Serna.

EJEMPLAR No. 1160

HISTORIA Y POLITICA

Luis Agüero, Antonio Benítez Rojo, Reynaldo González, Alfredo Muñoz-Unsain y Juan Sánchez: *Che Comandante*

Francois Bourricaud, Jorge Bravo Bresani, Henri Favre y Jean Piel: *La oligarquía en el Perú*

Gustavo Canihuante: *La revolución chilena*

Fidel Castro: *Socialismo y comunismo: un proceso único*

Fidel Castro, Raúl Castro, Camilo Cienfuegos, Faure Chaumón, Carlos Franqui, Ernesto Che Guevara, Antonio Núñez Jiménez, Faustino Pérez, Enrique Rodríguez-Loeches y Haydée Santamaría: *Todo empezó en el Moncada*

Karl von Clausewitz: *De la guerra (I, Sobre la naturaleza de la guerra, La teoría de la guerra, De la estrategia en general)*

Karl von Clausewitz: *De la guerra (II, El encuentro, Las fuerzas militares)*

Karl von Clausewitz: *De la guerra (III, La defensa, El ataque, Plan de una guerra)*

Agustín Cueva: *El proceso de dominación política en Ecuador*

Roberto Fernández Retamar: *Calibán, apuntes sobre la cultura en nuestra América*

Parménides García Saldaña: *En la ruta de la onda*

Enrique González Rojo: *Para leer a Althusser*

Antonio Gramsci: *Maquiavelo y Lenin. Notas para una teoría política marxista*

Giovanni Graziani: *América Latina, imperialismo y subdesarrollo*

Carlos María Gutiérrez: *El experimento dominicano*

Julio César Jobet: *Los fundamentos del marxismo*

Karl Kautsky: *Orígenes y fundamentos del cristianismo*

Jesús Lara: *Guerrillero Inti Peredo*

V. I. Lenin: *Jornadas revolucionarias de 1905*

Francisco López Segrera: *Cuba: capitalismo dependiente y subdesarrollo (1510-1959)*

Carlos Marighella: *La guerra revolucionaria*

Carlos Marighella: *Teoría y acción revolucionarias*

Ezequiel Martínez Estrada: *Análisis funcional de la cultura*

Armand Mattelart, Patricio Biedma y Santiago Funes: *Comunicación masiva y revolución socialista*

Manuel Medina Castro: *El gran despojo (Texas, Nuevo México, California)*
Manuel Medina Castro: *Historia de un latrocinio: El Canal de Panamá*
Marcio Moreira Alves: *El despertar de la revolución brasileña*
MLN-29-11: *Declaración de Panamá*
MLN-Tupamaros: *Actas Tupamaras, I: Los Tupamaros en acción.* Prólogo de Régis Debray
MLN-Tupamaros: *Actas Tupamaras, II: Tres evasiones de Tupamaros (Operaciones Estrella, Abuso y Gallo)*
Guillermo Murray y Ricardo Arredondo: *Quince rounds*
Edith O'Shaughnessy: *Huerta y la revolución*
Partido Revolucionario de los Trabajadores: *El peronismo ayer y hoy*
Inti Peredo: *Mi campaña con el Che*
Marta Rojas y Mirta Rodríguez Calderón: *Tania la guerrillera*
Mario Wschebor: *Imperialismo y universidades en América Latina*

En preparación:

Manuel Mercader: *Bolivia, guerrilla y cristianismo*
Michael C. Meyer: *Pascual Orozco y la revolución*